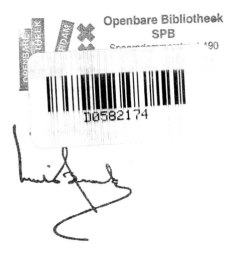

Phil Earle

De jongen in bubbeltjesplastic

Callenbach

© 2015 Uitgeverij Callenbach – Utrecht
www.kok.nl
Oorspronkelijke titel: The Bubble Wrap Boy
Copyright © 2014 by Phil Earle
Omslagillustratie: Penguin - www.penguin.com
Omslagontwerp: Tamar de Klijn
Vertaling: Hilke Makkink
Opmaak binnenwerk ZetSpiegel, Best
ISBN 978 90 266 2118 5
ISBN e-book 978 90 266 2119 2
NUR 284

1

Er is een uitdrukking, waaraan ik een vreselijke hekel heb.

Ik weet dat ik me er niet zo druk om zou moeten maken, omdat het tenslotte maar een uitdrukking is.

Een zinnetje.

Drie woorden. Allemaal ook nog eens bestaande uit slechts één lettergreep.

En waarschijnlijk bestaan er nog wel veel ergere uitdrukkingen; sterker nog, ik weet dat die er zijn.

Zo krijg ik bijvoorbeeld elke keer acute jeuk, als Sinus zijn enorme gebrek aan tact probeert te camoufleren met zijn geliefde woorden:

Je kunt het maar beter horen dan doof zijn...

Of mijn inmiddels overleden, altijd scheten latende opa's enige pareltje van wijsheid:

Trek eens aan mijn vinger...

Geloof me, als hij die paar woorden tegen je zei in een afgesloten ruimte, dan kon je er maar beter voor zorgen dat je er zo snel mogelijk vandoor ging.

Maar de reden dat ik die *andere* uitdrukking zo haat, is omdat ik het zo ontzettend vaak te horen krijg, alsof dat het hemelse antwoord zou zijn op mijn (tot nu toe) wat tegenvallende bestaan.

Klein maar fijn.

Zo, ik heb het gezegd, de woorden waarvan ik bijna over mijn nek ga. Maar nu hoef ik het tenminste niet nog een keer te zeggen.

Heb je ooit in je leven woorden gehoord die zoetsappiger, slijmeriger en neerbuigender waren?

Wat betekent het? De woorden hebben geen enkele inhoud, geen enkele subtekst, helemaal niets.

Het is niet meer dan een gigantische, ironische aai over de bol van mensen die je *eigenlijk* willen vertellen dat jouw leven als onderdeurtje een leven vol ellende en verdriet zal zijn.

Kom op, mensen. Wanneer jullie dat denken, zeg het me dan gewoon in mijn gezicht. Ik kan heus wel wat hebben (voor zo'n klein iemand).

Zelf heb ik me al lang geleden neergelegd bij mijn lengte, of beter gezegd het grote gebrek daaraan. Al lang voordat ik naar de middelbare school ging en niet bij mijn kluisje bleek te kunnen, al lang voordat ik aan het begin van groep acht nog aangezien werd voor een kleuter.

Zo is het altijd al gegaan, ik verbaas me nergens meer over.

Wanneer ik in de spiegel kijk zie ik een klein ventje, of toch in ieder geval de bovenkant van het hoofd van een klein ventje.

En ik vermoed dat ik zelfs nog beter met de hele situatie om zou kunnen gaan als mensen niet elke keer weer met *die* woorden aan kwamen zetten.

De afgelopen twee jaar heb ik ze zo vaak gehoord, dat het een soort obsessie voor me geworden is, waarbij ik de theorie alleen nog maar met kille en harde feiten wil weerleggen.

Waarbij ik die lamlendige uitdrukking helemaal teniet wil doen en (met dat belachelijke piepstemmetje, dat bij mijn idioot kleine lichaam hoort) wil zeggen…

'HA! ZIEN JULLIE WEL?? Ik zal altijd een stomme, onhandige mislukking blijven, ik ben op geen enkel gebied "fijn".'

Laat ik een voorbeeld geven. Nee, laat ik een heleboel voorbeelden geven.

Een verzameling van beroemde, kleine mensen die allemaal *enorm* mislukt zijn.

Henri de Toulouse-Lautrec (1864 – 1901)

Schilder, grafisch kunstenaar, vernieuwer, onderdeurtje.

Hij was zelfs zo klein, dat hij zijn toevlucht zocht in de alcohol en een dodelijke cocktail verzon met de naam 'Aardbeving', die hij verstopte in zijn speciaal daarvoor ontworpen wandelstok.

Op zijn negenentwintigste was hij zwaar alcoholist en leed hij aan allerlei onbetamelijke ziektes en op zijn zesendertigste was hij dood.

En dan vormde Toulouse nog een van de succesverhalen – hij liet tenminste nog zijn werk na, in tegenstelling tot de volgende personen.

Genghis Khan, Pol Pott, Stalin, Mussolini, Hitler; de ergste tirannen uit de oude en moderne geschiedenis, geen van allen groter dan één meter zestig.

Over het *kleine-mannensyndroom* gesproken.

Waardoor ik me afvroeg (gedurende een milliseconde of zo) of ik misschien de politiek in zou moeten gaan. Het waren dan misschien allemaal vreselijke tirannen, maar wel tirannen die waarschijnlijk altijd vrouwen achter zich aan hadden. En dan heb ik het niet over hun moeders. Hoewel ik er wat om durf te verwedden dat de moeder van Genghis heel wat minder erg was dan die van mij. En het zijn niet alleen de historische kleine mannetjes die er niets van bakten. Ook als je nu om je heen kijkt is het moeilijk om een positief rolmodel te vinden, ik bedoel maar:

Tom Cruise (neus),

Prince ('*His Royal Badness*'? Zo zouden ze hem nooit hebben durven noemen als hij groter geweest was),

Diego Maradona (die er in zijn eentje met behulp van vals spelen voor zorgde dat Engeland er tijdens het WK van 1986 uit vloog),

De Ewoks (ruïneerden wat de mooiste filmtrilogie aller tijden had kunnen worden).

En zo kan ik nog wel even doorgaan, nog minstens twee pagina's vullen, maar dan zou je een verkeerd beeld van me kunnen krijgen. Want ik ben niet verbitterd. Het lijkt misschien zo, maar ik ben het niet, echt niet.

Ik benut elke mogelijkheid die op mijn pad komt.

Zelfs wanneer dat betekent dat ik gebruik moet maken van een ladder en vervaarlijk vanaf de bovenste sport opzij moet leunen. Wanneer dat nodig is, prima – dan doe ik dat.

Het probleem is alleen dat, elke keer als ik op die manier iets nieuws probeer, de ladder omkukelt terwijl iedereen het ziet, en ik mee kukel.

En hoewel de blauwe plekken wel weer vervagen, geldt dat helaas niet voor mijn reputatie.

Iedereen in mijn omgeving kent mij als Kleine Charlie van de afhaalchinees. Onhandige, klunzige Charlie Han, die inmiddels toch beter zou moeten weten, maar het nooit lijkt te leren.

En dat is eigenlijk nog erger dan bekend staan als een onderdeurtje.

Want waar ik *wel* van overtuigd ben, is dit:

Iedereen is wel in iets goed.

Daar geloof ik heilig in.

Echt waar.

Ik moet wel.

Omdat het alternatief te treurig is om over na te denken.

Het enige wat ik nog even moet doen, is uitvinden wat mijn *iets* dan is.

Datgene wat mij verandert van een Ewok in een... geen idee, Yoda misschien?

Ja, Yoda. Daar zou ik meteen voor tekenen.

Ondanks de oren. Ondanks de groene kleur.

Dat is het. Totdat ik mijn ding vind, ga ik honderd procent voor een onvervalste Yoda.

Vinden zal ik het. Mijn roeping zal het zijn.

Voor ik het vergeet. Stoppen met dat Yodataaltje. Meisjes knappen erop af.

2

Ik haalde diep adem, onder mijn kostuum kriebelden de zenuwen. 'Probeer jezelf voor één keer nu eens niet voor gek te zetten', zei ik tegen mezelf. Het was tenslotte geen hele moeilijke rol. Ik hoefde noch met Romeo, noch met Julia het podium te delen, ik had geen tekst of interactie met iemand, nou ja, afgezien dan van het levenloze lichaam van Mercutio, wanneer ik hem van het toneel af sleepte. Ik kon me niet voorstellen dat de recensenten zich bezig zouden houden met mijn optreden.

Ik wachtte totdat Matty Dias klaar was met het uitmelken van Mercutio's dood, het leek wel alsof er geen eind kwam aan zijn gekronkel en geroep om zijn moeder (kan me niet herinneren dat *dat* in de originele tekst stond).

Toch was ik niet jaloers op hem. Het was tenslotte niet zo dat ik verwacht had mijn naam aan te treffen achter een van de hoofdrollen, toen ik tussen de benen van de anderen door geglipt was om de lijst met de rolverdeling op het prikbord te kunnen lezen. Het zou ook wel een hele moedige zet geweest zijn om een rol te geven aan iemand, wiens stem klonk alsof hij verslaafd was aan helium.

Maar wel had ik stiekem gehoopt op een rol met een naam, in plaats van enkel *Lichaam Sleper Nummer Twee*. Meteen was ik naar de bibliotheek gerend om na te lezen wat het script over die rol zei, maar nergens vond ik ook maar een verwijzing. Zelfs Google leverde niets op. Op dat moment besefte ik dat het om het allerkleinste minirolletje ging, het soort rol dat ze bewaarden voor de bijzondere kinderen. Je weet wel, zodat die zich ook een beetje betrokken zouden voelen. Het leek me dan ook niet zinvol om te smeken om een promotie naar *LS Nummer Eén*...

Toch was ik er redelijk snel overheen; het was tenslotte toch een voet tussen de deur. Een opstapje.

Nu moest ik er alleen nog voor zorgen dat ik er niet over zou struikelen.

Toen eindelijk de spot op Mercutio doofde, zette ik mijn hoed recht (die, zoals elk deel van mijn kostuum, veel te groot was) en schreed doelbewust naar het midden van het podium. Terwijl ik een denkbeeldige traan van mijn wang veegde (mijn eigen, briljante aanvulling op de rol), pakte ik de gevallen strijder onder de oksels en leunde achterover, in de verwachting dat zijn lichaam over het podium zou glijden, zoals het dat tijdens de repetities ook gedaan had.

Maar er gebeurde niets.

Ik trok harder, boog mijn lichaam nog wat verder naar achteren, maar het leek wel alsof Mercutio's plek ingenomen was door het meest dode gewicht ooit.

Vanuit de zaal klonk nu gefluister, gevolgd door gegrinnik hier en daar, dat bij elke ruk die ik deed luider werd.

'Waar ben je mee bezig?' siste het tot leven gekomen lijk.

'Moet jij niet dood zijn?' piepte ik zachtjes terug, hoewel de eerste vier rijen me toch gehoord leken te hebben, aangezien daar nu luidkeels gelachen werd.

Ik probeerde erachter te komen wat er aan de hand was en ontdekte ten slotte zijn zwaard, dat vastzat tussen twee vloerplanken, waardoor hij als het ware vastgepind lag op het podium.

'Het is je zwaard, dat zit...'

'Trek nou maar gewoon, idioot!'

En dat deed ik toen maar en na enkele enorme inspanningen kwam de kling eindelijk los, waardoor zowel het lijk als ik achterover tuimelden.

Ik deed mijn uiterste best om overeind te blijven, maar met het gewicht van Mercurio bovenop mij werd het de meest onelegante dans die ooit op een Engels podium uitgevoerd was. Niet echt het Royal Ballet, zeg maar.

Het publiek hapte naar adem toen we tegen een pilaar vielen, de uitbundigste reactie van de hele avond, en heel even vroeg ik me af of ik misschien per ongeluk wel voor een stukje *echt* theater gezorgd had.

Maar toen voelde ik de pilaar achter me wankelen en vervaarlijk hellen. Voor alle duidelijkheid, die pilaar stond onder Julia's balkon en vormde dus een behoorlijk belangrijk deel van het decor. Wanneer de pilaar om zou vallen, nou ja, dan bestond dus de kans dat het balkon ook…

Matty Dias, die blijkbaar ook al tot deze conclusie gekomen was, was plotseling weer springlevend en rende gillend richting de coulissen.

Ik haastte me achter hem aan, terwijl de pilaar richting de vloer stortte, en keek geschrokken toe hoe het balkon begon te wiebelen.

Tot overmaat van ramp was de toneelverlichting inmiddels weer aangegaan, klaar voor de volgende scène. Ik zag Romeo (Robbie Bootle – de populairste jongen van de school) het podium op lopen, volledig opgaand in zijn eigen verdriet, zich niet bewust van het feit, dat als het balkon zou vallen, hij de volgende zou zijn om wie gerouwd zou worden.

Ik moest wat doen en dus rende ik naar de achterkant van het balkon, waar ik zag dat de complete set inmiddels vervaarlijk naar voren helde. De gewichten, waarmee alles vastgezet was, hielden het bijna niet meer en ook het touw, waarmee het geheel op zijn plek gehouden werd, was al aan het losraken.

Zonder verder na te denken, rende ik naar het touw en sprong er bovenop. Wanneer ik het opnieuw vast kon maken, zou alles blijven staan en zou Romeo tenminste niet letterlijk hoeven sterven.

Het was de oplossing – een uitstekend idee. Tenminste, voor

iemand met een normaal postuur en gewicht. Maar mijn impact op het touw was minimaal, als een vlieg die op een olifant landt, in de hoop hem te stoppen.

Binnen een seconde wist ik dat mijn plannetje niet ging werken, en terwijl het balkon naar voren viel en ik Tarzan aan een liaan nadeed, werd het me duidelijk dat ik of mezelf of de onfortuinlijke Romeo kon redden. En ik mag dan wel een lafaard zijn, ik ben niet gek. Met een laatste, onhandige beweging liet ik mezelf op de grond vallen, terwijl ik riep:

'Spring, Romeo! Spring!'

Ik betwijfelde of hij me kon horen boven de enorme kakofonie van het instortende decor en driehonderd doodsbange toeschouwers uit. Het enige wat ik kon doen, was me zo klein mogelijk maken en er het beste van hopen.

De mooie stad Valencia had meer weg van de slagvelden van Irak. Overal staken versplinterde decorstukken omhoog, boven het publiek zwaaiden de spotlights vervaarlijk heen en weer, waardoor duidelijk werd dat de schade niet alleen beperkt gebleven was tot het podium.

Daar, op de eerste rij, languit over de schoten van de burgemeester en zijn vrouw, lag Romeo, zijn kin gewond door de medaille onder aan de ambtsketting van de man.

Even bewoog er niemand, zelfs ik niet (hoewel ik mezelf toestond om wel even opgelucht adem te halen). De vrouw van de burgemeester had de grootste klap te verduren gekregen, maar toonde vrijwel geen enkele emotie. Als verstijfd zat ze daar, haar hand, met daarin nog altijd een zakje Maltezers geklemd, in de lucht. Robbie had alle reden om haar liefde voor deze chocoladeballetjes dankbaar te zijn. Hierdoor was zijn landing nog enigszins zacht geweest.

Zijn hoofd daarentegen was minder zacht terechtgekomen. De ambtsketting had zijn kin opengehaald en het bloed liep over het ambtsgewaad van de burgemeester. Mam zou erin gebleven zijn als ze het gezien had. In haar ogen stond bloed gelijk aan moord.

Ik liep naar de rand van het podium, leunde naar voren en vroeg: 'Gaat het, Robbie?'

'Laat het gordijn zakken!' werd er vanuit de coulissen geschreeuwd. Wat me zeker aan het lachen gemaakt zou hebben, als ik mezelf niet *zo* in de nesten gewerkt had.

Want het was nu een beetje te laat. Dertig vierkante meter rood fluweel waren niet genoeg om deze puinhoop aan het oog te onttrekken, tenzij ze de stof ook over het publiek zouden gooien. Toch viel het doek. Het gordijn kwam zo hard naar beneden, dat ik er bijna door van het podium, boven op Robbie gestoten werd. Terwijl ik me aan de stof probeerde te ontworstelen, besloot ik dat dit waarschijnlijk het beste moment voor een snelle aftocht was. Voordat iemand zijn conclusies zou trekken en op de naam *Charlie Han* zou komen.

Als een krab kroop ik zijwaarts richting de coulissen, hoofd gebogen, mijn beste 'Niet-schuldig-Edelachtbare' blik in de ogen, maar net op het moment dat mijn voeten de veilige schaduw bereikt hadden, hoorde ik hoe iemand mijn naam brulde.

Het had een mooi moment, *het* moment moeten zijn, het belangrijkste moment uit mijn leven – tenslotte droomde ik er al sinds de brugklas van dat Carly Stoneham mijn naam zou roepen.

Hoewel ze het in die fantasieën altijd speels, met een lachje gedaan had, alsof ik zojuist iets onvoorstelbaar grappigs gezegd had. Niet brullend in elk geval, elke lettergreep vol gif.

Ik denk dat ik rustig kan stellen dat ze op dat moment niet meer in haar rol was, tenzij Julia stiekem een keiharde meid van de straat zou blijken te zijn, vastbesloten om Romeo's onschuldige kinwond te wreken.

Ze zag er nog altijd even stralend uit, hoewel haar ingewikkeld ingevlochten kapsel er duidelijk, net als Robbie, niet ongedeerd vanaf gekomen was. Ze kon het goed hebben, die withete woede.

'Waarom deed je dat?' gilde ze.

'Wat?' Ik hoopte maar dat ze net zo vergevingsgezind was als stralend.

'Dat touw zo loslaten! Je wist toch dat dat het balkon op zijn plek hield!'

Het schaamrood steeg me naar de wangen. 'Ik kon er niets aan doen. Het gewicht tilde me omhoog. Wanneer ik niet losgelaten had, dan was ik ergens daarboven terechtgekomen.'

'Nou, beter dat dan dat het balkon op Robbie was neergekomen. Wanneer hij niet zo atletisch was geweest, dan was hij nu verpletterd.'

'Maar het valt allemaal toch mee?' Ik kromp in elkaar bij de aanblik van zijn nog altijd bloed spuitende kin. 'Hij is een middenvoor – duiken is zijn tweede natuur.'

Mijn flauwe poging tot humor werd beantwoord met een dodelijke blik.

'Nee, het valt helemaal niet mee. Waarschijnlijk moet hij naar de Eerste Hulp voor hechtingen en het ambtsgewaad van de burgemeester zal gestoomd moeten worden. Het toneelstuk gaat niet meer door en nu krijg ik natuurlijk nooit meer een kans om met hem te zoenen!'

Ik had medelijden met haar, echt waar. Zoveel zelfs, dat ik geheel belangeloos aanbood om de boel te redden door Robbie's rol dan maar over te nemen. Maar toen de overige acteurs daarop Carly in bedwang moesten houden omdat ze me anders aangevlogen zou zijn, besefte ik dat ik Robbie's tekst voor niks uit mijn hoofd geleerd had.

Hoewel ook weer niet helemaal. Ik zou er tijdens een examen vast nog wel wat aan hebben. Dat ik ook Mercutio's toespraken uit mijn hoofd geleerd had, was misschien een beetje overdreven, hoewel ik het met de beste bedoelingen gedaan had. Mercutio was grappig, had een vlijmscherpe humor. Als ik die mooie Julia was, dan was ik Romeo's gejammer al lang beu geweest en had ik zeker zijn beste vriend al eens laten toetasten.

Tegen de tijd dat ik mezelf had weten los te rukken uit deze heerlijk naïeve dagdromerij, was Carly's plek ingenomen door de heel wat minder aantrekkelijke Mrs. Gee, die duidelijk net zo min onder de indruk was als Carly en net als zij Romeo's welzijn boven dat van mij stelde.

'Waarom ben jij toch altijd zo onhandig?' schreeuwde ze. 'Ik vertrouwde je, Charlie. Je snapte toch zelf ook wel dat het geen goed idee was om dat touw los te laten?'

Het was duidelijk: beter het onderdeurtje de lucht in katapulteren dan dat de ster gewond raakt. Ik nam me voor om het een les te laten zijn voor de toekomst.

'Misschien dat ik maar beter kan vertrekken, miss?' bood ik aan. 'Ik denk dat ik wel genoeg schade aangericht heb.'

Ik kon bijna voelen hoe overal om me heen de zwaarden getrokken werden. Besefte dat, wanneer ze me vanavond niet te pakken kregen, er altijd nog een morgen was: ik zou er hoe dan ook opnieuw niet aan ontkomen.

'Geen sprake van. Ik kan toch moeilijk van de anderen verlangen dat zij de rotzooi opruimen die jij veroorzaakt hebt, en al helemaal niet nu al hun creativiteit tot helemaal *niets* geleid heeft. De show mag dan wel niet doorgaan, maar het feest wel, en waag het niet om daar te verschijnen voordat alles opgeruimd is. Sterker nog, misschien is het beter als je daar helemaal je neus niet meer laat zien.'

Ze schreed het podium af alsof ze zelf de hoofdrol gespeeld had, in het voorbijgaan drukte ze Carly nog even troostend tegen zich aan. Ik bleef achter, zwelgend in een gevoel van déjà vu.

Vloekend duwde ik de bezem in het rond. Woedend op zowel hun stommiteit als die van mijzelf. Ik bedoel, welke idioot geeft er dan ook een klusje, gebaseerd op kracht, aan het kleinste kind dat deze school ooit bezocht heeft?

De anderen liepen langs, uitten namens Robbie dreigementen, wierpen me vuile blikken toe, maakten sarcastische opmerkingen, en een enkeling gaf me alvast een por, om me bang te maken. En het zou alleen maar erger worden, zo ging het altijd.

Ik probeerde het van de positieve kant te zien: sommigen hadden me bij mijn naam genoemd. Dat was vooruitgang; voor de verandering wisten ze nu eens wie ik was, in plaats van enkel 'die Chinese dwerg'.

De bezem voelde zwaar in mijn handen en mijn humeur werd er niet beter op toen de troep om me heen eerder meer dan minder leek te worden. Wie had gedacht dat één kleine valpartij zoveel schade kon aanrichten?

Tegen de tijd dat ik het laatste restje decor in de vijfenveertigste vuilniszak geveegd had, was ik niet echt meer in een feeststemming en eerlijk gezegd klonk het feest, voor zover ik dat kon horen, ook niet echt opwindend. Geen gelach of gejoel – je kon het vermalen van de chips tussen de opeengeklemde kiezen bijna horen, zo stil was het.

Moest ik het riskeren? Mijn gezicht laten zien en sorry zeggen? Ik zag hun gezichtsuitdrukkingen al voor me, fronsend en kwaad, klaar om me nu te laten boeten, nu de woede nog vers was. Ik zag hun benen bijna trillen, klaar voor de eerste trap, voelde hoe mijn eigen scheenbenen al pijnlijk echoden. Het was niet dat ik niet wist wat me te wachten stond.

Wanneer dat op de agenda stond vanavond, dan sloeg ik het liever over, dan gokte ik er op dat ze wel zouden afkoelen. Voor alles was tenslotte een eerste keer.

3

Buiten gekomen wachtte mij een verrassing.

Applaus.

Nou ja, applaus, dan denk je al gauw dat er meerdere mensen staan te klappen.

En dat was natuurlijk niet zo. Het was er maar één.

Mijn vriend, Sinus.

Wat me opnieuw aan een gezegde doet denken:

Je familie heb je niet voor het uitkiezen, maar je vrienden wel.

Het soort gezegde waardoor ik het liefst met mijn hoofd tegen een betonnen muur zou willen beuken. Wie ooit op dit juweeltje gekomen is, zou eens een dag in mijn maatje zesendertig moeten rondlopen.

Met keuze heeft het namelijk helemaal niets te maken, weet je.

Het is niet alsof ik de afgelopen negen jaar op school het schoolplein afgespeurd heb, wrijvend over mijn kin, denkend: *ja, vandaag zal ik eens vrienden worden met jou en met jou en zeker niet met JOU.*

Leuk bedacht hoor, maar zo gaat het natuurlijk niet. Dat soort keuzes is alleen weggelegd voor de andere, normale mensen.

En dat is dan ook precies waarom Sinus en ik tot elkaar aangetrokken werden en vrienden geworden zijn.

Nou ja, ik zeg 'vrienden'.

Omdat ik vermoed dat dat is, wat hij is. Echt geanalyseerd hebben we ons samenzijn eigenlijk nooit. Het gebeurde gewoon. We stonden zo vaak samen – tijdens de gymles, op het schoolplein, altijd de laatsten die uitgekozen werden – dat we ons uiteindelijk een beetje verbonden waren gaan voelen met elkaar. Als een stel lepralijders.

Ik weet niet zeker of echte vriendschap ook op dit soort dingen gebaseerd is, maar ik mocht hem wel.

Soort van.

Hij maakte geen nare opmerkingen naar me, verzon ook geen nieuwe en exotische manieren om mijn lengte te bespotten; hij sprong niet bovenop me wanneer ik mijn spullen in mijn kluisje legde (helemaal onderaan natuurlijk, om het allemaal nog grappiger te maken). De laatste tijd had ik bij wijze van spreken de afdrukken van gymschoenen op mijn rug getatoeëerd staan: het leek wel alsof op het onderdeurtje staan een nieuwe olympische sport was en *iedereen* die gouden medaille wilde winnen.

Het eerste wat me opviel, toen het applaus gestopt was, was uiteraard Sinus' euvel, datgene wat hem, samen met mij, tot loser gemaakt had.

DE NEUS.

Nee, ik heb de Caps Lock niet per ongeluk aan laten staan – het is gewoon onmogelijk om het gedrocht tussen zijn wangen met kleine letters te beschrijven. Het zou het geen recht doen.

DE NEUS was zo lang, zo krom en tegelijkertijd zo fors, dat hij alles overheersend was. Wanneer mensen het erover hadden, gingen ze vanzelf harder praten, alsof ze hun eigen Caps Lock aangezet hadden. Oudere mensen staarden wanneer hij langs liep; jonge kinderen verstopten zich tussen de plooien van hun moeders rokken, uit angst voor de mismaakte neus van Sinus.

Kortom, dankzij die neus was ik blij dat ik slechts een onderdeurtje was. Er bestond tenslotte nog altijd een heel kleine kans dat ik nog zou groeien, maar zijn neus zou zeker nooit meer kleiner worden. Misschien was dat dus wel de reden dat ik met hem optrok, omdat hij net zo vaak voor paal stond als ik.

En zijn naam hielp ook al niet.

Linus Sedgley.

Op het eerste gezicht onschuldig, maar een cadeautje natuurlijk voor de pestkoppen. Linus werd al snel Sinus en die naam bleef hardnekkiger hangen dan een snotje onder een stoelzitting.

Iedereen noemde hem inmiddels zo, leerlingen *en* leraren. Ooit liet hij me zijn schoolrapport zien, waarop duidelijk te herkennen was dat zeker drie docenten Tipp-Ex hadden moeten gebruiken aan het begin van zijn naam, om hun fout te corrigeren. Ouwe Gash, onze leraar Engels, deed zelfs niet eens meer de moeite, maar schreef openlijk over het gebrek aan motivatie dat Sinus tijdens zijn lessen vertoonde.

Mocht de bijnaam hem echter al storen, dan liet hij dat in elk geval niet merken. Hij leek hem eerder te omarmen. Sms'jes ondertekende hij altijd met zijn bijnaam, kaartjes ook, en dus noemde ook ik hem nooit anders dan Sinus. Zo heette hij gewoon.

Geleund tegen de muur van het theater stond hij me op te wachten, de reusachtige schaduw van zijn profiel afgetekend tegen de bakstenen. Een beetje eng wel, bijna alsof ik werd opgewacht door een Amerikaanse zeearend.

Maar gelukkig, voordat ik echt bang zou worden begon hij te praten, waardoor de spanning gebroken werd.

'Bravo!' riep hij. 'Encore. Encore.' Zoals te verwachten sprak hij door zijn neus, zijn neusgaten wijd opengesperd.

'Ja, ja, het zal wel.' Ik wilde al kwaad langs hem heen lopen, maar hij volgde me, terwijl hij me plagerig op mijn rug klopte.

'Nee, echt. Het was geweldig. Nadat al het bloed weggeveegd was, had iedereen de grootste lol. Hopelijk heeft iemand het gefilmd.'

'Echt *beter* maak je het er zo niet op, hoor!' Ik glimlachte flauw.

'Maar dan kunnen we het op YouTube zetten. Zodat het viraal gaat.' Hij stopte om zogenaamd theatraal naar adem te happen. 'We moeten het er in 3D op zetten!'

Mijn vernietigende blikken leken hem niet te deren en zwijgend sjokten we verder, totdat…

'Goed, en nu?' vroeg hij.

'Hoe bedoel je?'

'Nou, dankzij jou zal theater nu nooit meer hetzelfde zijn. Wat ben je van plan om als volgende te gaan ruïneren... ik bedoel, veranderen?'

Ik begon me steeds meer af te vragen waarom ik nog met hem meeliep. Zelfs alleen zijn zou nog beter zijn dan dit.

'Ik maak echt niet overal een potje van, hoor.'

'Hmm.'

'Echt niet'

'Voorbeeld?'

'Voetbal!' Het was eruit voordat ik er erg in had. 'Die wedstrijd die ik gespeeld heb? Nog nooit eerder heeft een leerling van deze school tijdens zijn debuut een hattrick gescoord.'

'Dat *is* waar', knikte hij. 'Jammer alleen, dat ze allemaal aan de verkeerde kant waren, nietwaar?'

Mijn gezicht begon weer te gloeien bij de herinnering aan de ballen die ons eigen net in vlogen. Opnieuw voelde ik weer de pijn in mijn hoofd, nadat de laatste bal tegen mijn oor afgeketst was.

'Hebben ze je na dat derde doelpunt niet met een stretcher van het veld moeten dragen?'

Ik knikte.

'Geperforeerd trommelvlies, toch?'

Ik knikte opnieuw en voelde mijn wangen weer rood worden.

Sinus deed duidelijk zijn best om zijn lachen in te houden. 'Misschien maar goed ook – anders had je eigen team je vast gelyncht.'

'En bedankt hè, Sinus. Ik wil jou wel eens een kopbal zien maken zonder het te verpesten.'

'Ik zou het niet eens proberen.' Hij haalde zijn schouders op. 'Waarom zou ik mezelf voor schut zetten, als jij het al genoeg doet voor ons samen?'

Mijn gedachten schoten terug naar andere vernederingen: de keer dat ik bijna het scheikundelokaal in brand gezet had met een enkel stukje magnesiumlint; of bijna een vinger kwijtgeraakt was aan een niet eens zo heel scherp mes; of toen ik de hele klas een voedselvergiftiging bezorgd had met een hapje van mijn simpele cakerecept. Ik bedoel, hoeveel pech kan iemand hebben?

Sinus wist het antwoord.

'Ik denk dat er een vloek rust op jou. Dat moet haast wel en zolang die betovering niet verbroken wordt, zal het je hele leven zo blijven gaan.'

Met grote ogen keek ik hem aan. 'Wauw. Bedankt voor die opbeurende woorden.'

'Geen dank. Daar zijn vrienden voor. Jij zou voor mij hetzelfde doen, dat weet ik zeker.'

Ik dacht hard na over hoe ik hem voor gek zou kunnen zetten, met andere dingen dan zijn belachelijke, bijna buitenaards grote neus. Het feit bijvoorbeeld dat zijn broeken altijd vijf centimeter te kort waren voor zijn benen, of dat hij altijd genoeg oorsmeer in zijn oren had om iedereen midden in de winter nog van brandstof te kunnen voorzien.

Of wat te denken van zijn andere gebrek. Het feit dat hij zo… wezenloos was.

Het was namelijk niet *alleen* zijn neus, die hem tot een buitenbeentje maakte. Als dat het enige geweest was, dan was het gepest op een gegeven moment wel gestopt, waarna hij gewoon een van de vele, anonieme freaks geworden was, die min of meer onzichtbaar waren voor de mensen uit onze klas.

De reden dat hij er nog steeds uitgepikt werd, was dat hij gewoon zo ontzettend raar was, helemaal wanneer het om zijn murenfetisj ging.

Ik weet niet wat het was met stenen en cement, maar het was duidelijk dat hij er een fascinatie voor had. Bij elke muur groter dan drie vierkante meter bleef hij even staan, glimlachend, hoofd een beetje scheef, blik strak op de muur gevestigd, alsof hij hem met alleen de kracht van zijn gedachten omver zou kunnen blazen. Hij wist echter dat hij er niet te dicht op moest gaan staan – toen hij dat een keer gedaan had, had iemand hem hard met zijn gezicht tegen het metselwerk aangeduwd, waardoor zijn neus zo bont en blauw geworden was, dat hij eruitzag als het laatste stuk vlees in het koelvak van de supermarkt.

Bijna had ik hem hier eens even fijntjes aan herinnerd, of aan een van zijn andere eigenaardigheden, zoals hij dat zo-even ook bij mij gedaan had, maar uiteindelijk kon ik het toch niet over mijn hart verkrijgen.

Waarom ook? Beledigingen deden hem niets. In plaats daarvan liepen we dus zwijgend verder richting Sinus' huismuur, waar hij stopte en even bleef staan staren.

'Goed, dus dan zie ik je morgen weer?' vroeg ik.

'Yup', antwoordde hij, zonder op te kijken.

'Lopen we samen naar school?'

'Yup.' Zijn blik liet de muur niet los.

'Dan zie ik je hier. De gebruikelijke tijd.'

'Ik zal er zijn.'

'Daar ga ik van uit', mompelde ik, terwijl ik weg liep en hem als in trance achterliet.

Ik had zo'n twintig meter gelopen, toen ik me realiseerde dat ik hem beter kon zeggen dat hij zijn mond moest houden over wat er vanavond gebeurd was.

Toen ik me omdraaide, stond hij nog altijd naar de muur te staren. 'Zeg maar liever niets tegen mijn moeder over wat er gebeurd is', riep ik. 'Je weet wel, met het toneelstuk. Je weet hoe ze is.'

Hij knikte, hoewel hij me nog altijd niet aankeek. Maar hij kende mijn moeder. Eén woord van hem en ik zou voor Kerstmis de deur niet meer uitkomen.

4

De dag na Shakespeares laatste tragedie begon min of meer hetzelfde als alle andere dagen: struikelend over het babyhekje bovenaan de trap.

Ik vloekte hard, terwijl mijn schouder tegen de bovenste traptrede sloeg, het lelijkste woord dat ik kon bedenken, gevolgd door een bonte verzameling van andere schunnige woorden voor elke volgende trede, vijftien stuks in totaal.

Tegen de tijd dat ik onderaan de trap lag, was mam al komen toesnellen, op haar gezicht de standaard paniekuitdrukking die ze elke ochtend opzette.

'Wat is er gebeurd, Charlie?' Bezorgd boog ze zich over me heen.

'Ik ben van de trap gevallen!' Hoezo, naar de bekende weg vragen.

'Alweer? Maar hoe dan? Ik heb daar toch een hekje neergezet, zodat dat niet meer kon gebeuren!'

Ik kon niet geloven dat we opnieuw dit gesprek hadden.

'Nee, mam, ik viel *vanwege* het hekje. Waarom doe je me dit aan? Ik ben geen baby meer. Ik ben veertien! Afgezien van de keren met het hekje, ben ik al tien jaar lang niet meer van de trap gevallen!'

'Onzin', suste ze, terwijl ze met haar hand over mijn hoofd wreef, voelend of er ergens een bult zat. 'Vorige week ben je ook nog naar beneden gevallen.'

'OMDAT DAT HEKJE DICHT ZAT!' brulde ik. 'Haal dat hekje weg en je zult zien dat ik prima de trap af kom. Alsjeblieft, mam. Alsjeblieft. Ik heb het niet meer nodig.'

Ze dacht er een nanoseconde over na.

'Ik zal het er eens met je vader over hebben, kijken wat we eraan kunnen doen. Hoewel we dan natuurlijk meteen ook nog eens over je *probleem* moeten praten, nietwaar?'

Als er iets was waar mijn moeder gek op was, dan was het wel een probleem. Vooral wanneer dat betekende dat ze me nog meer kon smoren. Ik kan je niet vertellen hoe vaak ik de armen van mijn moeder om me heen voel. Knuffelend, drukkend, strelend. Zelfs wanneer ze niet eens in de buurt is voel ik die armen nog, mijn borstkas afknellend. Soms krijg ik er bijna geen adem door. Op school laat ik haar niet in mijn buurt komen. Het laatste waaraan ik behoefte heb, is wel om uitgejouwd te worden omdat ik een moederskindje zou zijn.

En dat, terwijl het probleem waarover ze het had, niet eens een probleem was.

Ongeveer anderhalf jaar geleden had ik een keer koorts. Niets bijzonders, gewoon een griepje en een temperatuur waardoor ik 's nachts niet meer helemaal goed wist wat ik deed. Ze had me de trap af horen stommelen en me zwetend en vloekend in de keuken aangetroffen, waar ik mijn hoofd in de vrieskist probeerde te stoppen. Goed, niet mijn meest heldere moment, maar ik had meer dan veertig graden koorts – echt toerekeningsvatbaar was ik dus niet.

Drie uur later had ik me alweer prima gevoeld, afgezien dan van de verlegenheid, waarin mam me probeerde te brengen.

'Je had wel kunnen stikken!' had ze gegild. 'Wat, als je erin gevallen was en het deksel dichtgeslagen was? We zouden het nooit geweten hebben.'

'De vriezer zit tot de rand vol met vlees, mam. Daar had ik echt niet meer bij gepast.'

'O, jij vindt dit grappig? Nou, ik vind er niets grappigs aan, Charlie. Helemaal niets.'

En zo begon een nieuwe golf van moederlijke paranoia, erger dan ooit.

Elke keer dat ik midden in de nacht naar de wc moest, stond ze er alweer. Wilde ik 's avonds laat nog een koekje pakken, dan stond ze alweer achter me, armen klaar om de Heimlich-manoeuvre toe te passen, mocht ik in een koekkruimel stikken.

Ik weet het, ik weet het. Absoluut niet normaal, maar het probleem was dat er niet met haar te praten viel. Hoe harder ik het probeerde, hoe koppiger ze werd.

Wanneer het om mij ging, maakte ze zich zorgen over *alles*, of *alles* wel veilig was.

Kerstmis, bijvoorbeeld. De mooiste tijd van het jaar, vrede op aarde en zo meer. Een tijd waarin families samen dingen doen, zoals bijvoorbeeld de boom optuigen.

Maar niet bij ons thuis.

Ik was vijf, toen ik eindelijk ook een keer een bal aan een tak mocht hangen.

Kerstbomen waren gevaarlijk, snap je. Dennennaalden waren scherp en ik hoefde maar even uit te glijden, even niet op te letten en dan had je het al – voordat je het wist kon ik zomaar een oog kwijt zijn.

Eén jaar zeurde ik zo hard, dat ze uiteindelijk toegaf. Ik mocht meehelpen, zolang ik maar een zwembrilletje opzette.

EEN ZWEMBRILLETJE!!

Kun je je voorstellen hoe ik eruitzag, met een zwembrilletje op in mijn eigen woonkamer, het dichtstbijzijnde zwembad meer dan vijf kilometer verderop?

Ik kan je vertellen dat het de magie wel iets minder maakte.

Uiteindelijk keek ik maar gewoon toe hoe pap het deed: een zeldzaam moment, waarop hij een keer geen rijst stond te bakken in de keuken. *Hij* hoefde geen zwembrilletje te dragen van haar, zelfs niet zijn gewone bril. Nee, haar paranoia betrof alleen mij, haar enige kind.

Ik probeerde ooit om pap te vragen waarom ze zo dominant was, maar ook daar werd ik niet veel wijzer van.

Hij is beter met de wok dan met woorden, zei mam altijd over hem, en ik denk dat ze gelijk had. Hoewel het niet zo was, dat hij het niet verstond. Op zijn twaalfde was hij samen met mijn opa vanuit China naar Engeland gekomen en dus sprak hij prima Engels. Hij koos er alleen voor om het niet te doen, om te doen alsof hij het allemaal niet verstond. Op die manier kon hij zich mooi afzijdig houden. Afzijdig van mams oorlogspad, hij liet haar liever het woord voor hen beiden doen.

'Kun jij niet eens met haar praten?' had ik hem gesmeekt.

Waarop hij me aankeek met een blik van: *Serieus? Heb je haar wel eens ontmoet?*

'Maar als iemand haar op andere gedachten kan brengen, dan ben jij dat, pap.'

'Zo erg is het toch niet?'

'Niet zo erg? Ik mag helemaal niets van haar. Mag nergens heen.'

'Niet zo overdrijven.'

'Hè? Overdrijven? Pap, ik mocht pas op mijn elfde naar een vuurwerkshow omdat het te *gevaarlijk* zou zijn. Met heel veel moeite kreeg ik haar zover dat ik er door het dubbele glas naar mocht kijken. Ik bedoel, wat zou ze geantwoord hebben, wanneer ik om een sterretje gevraagd had?'

'Het is je moeder.'

O, wat haatte ik het wanneer hij dat zei. Het was zijn standaardantwoord. Het zei zowel alles als niets. Het was het equivalent van *Mond houden en niet zeuren. Er gaat toch niets veranderen.*

'Dus dat is alles? Dat is het pareltje van wijsheid dat je me te bieden hebt?'

Hij haalde treurig zijn schouders op en gaf me een klopje op mijn arm, zijn handen ruw en eeltig van jarenlang een hete wok hanteren.

'Ik moet groenten snijden', zei hij, wijzend naar de keuken, zijn toevluchtsoord.

'Sorry, ik wil natuurlijk niet tussen jou en je zoetzure balletjes in

komen', zuchtte ik, terwijl ik de trap weer op klom en bovenaan
een trap tegen het hekje gaf.
Het deed pijn.
Ik haatte dat rothek.

5

Goed, nu we toch aanbeland zijn bij het onderwerp pijn, kan ik je mooi vertellen over *The Walk of Shame*.

Elke school heeft wel zijn eigen variant, of dat nou je hoofd in de wc pot stoppen is of tot aan je nek in een van mieren vergeven kuil begraven worden, maar bij ons op school is het nog wat specialer. Geheel in de geest van het digitale tijdperk, heeft het wel iets weg van een flashmob.

Ik wist natuurlijk dat het er in zat voor mij, na het rampzalig verlopen toneelstuk. Daar was geen ontkomen aan. Het was in het verleden wel voor minder gebeurd. Maar wat ik niet wist, was wanneer.

Er zijn keren geweest dat ze een spelletje met me speelden, een paar dagen voorbij lieten gaan, waardoor ik bijna ging denken dat ze het heel misschien, voor één keertje, vergeten waren. Maar dat gebeurde natuurlijk nooit. Het feit dat ze me ermee konden overvallen, maakte de lol er alleen maar groter op voor ze.

De mobiele telefoons maken het er niet beter op. Of Facebook. Zodra het gebeuren in een berichtje aangekondigd wordt, gaat het nieuwtje binnen enkele minuten rond. Niemand 'liket' het bericht of reageert erop; dat zou de leraren maar aanleiding kunnen geven om in te grijpen.

Nee, in plaats daarvan slaan de leerlingen het nieuws gewoon op, om op het gewenste tijdstip op te komen draven, ook al is het enkel om toe te kijken en niet om mee te doen.

The Walk is geen gecompliceerde vorm van marteling: er komt geen tang of elektriciteit bij kijken, er zijn zelfs niet heel veel mensen voor nodig. Ik heb zelfs meegemaakt dat er maar een paar bij aanwezig waren. Maar dat betekent niet dat het minder pijn doet. Hoe korter de tunnel, hoe harder ze vaak schoppen.

Je weet wanneer het zover is. En niet alleen omdat je ziet hoe de anderen in een rij gaan staan: je voelt het gewoon, ruikt de opwinding. Ik stel me altijd voor dat het er in de Romeinse tijd net zo aan toe ging met de gladiatoren. Behalve dan dat het publiek toen een spektakel, een wedstrijd zag. En wanneer ze me nou een zweep of een speer zouden geven, dan zou de vergelijking misschien nog opgaan, maar vergeet het maar. Vergeleken bij *The Walk* stelt David tegen Goliat helemaal niets voor.

Op een bepaald moment weet je dus dat het gaat gebeuren. Van alle kanten stappen ze naar voren, om zo een doorgang te vormen die ongeveer twee keer zo breed is als jijzelf. Breed genoeg om doorheen te lopen, smal genoeg om een bedreiging te vormen. Als één man stappen ze naar voren, met bijna militaire precisie, waardoor het allemaal nog enger wordt.

En dat is het – zodra de tunnel compleet is, hoef je er alleen nog maar doorheen te lopen. Heel eenvoudig eigenlijk, totdat de benen uitgestoken worden en je als een of andere held uit een jaren tachtig videospelletje moet springen voor je leven.

Volgens sommigen bestaan er strategieën om ongehavend uit *The Walk* tevoorschijn te komen, maar neem van mij aan, en ik kan het weten, dat die er niet zijn.

Ik heb ze namelijk allemaal geprobeerd. Sprinten, springen, huppelen – ik heb zelfs ooit in een moment van blinde paniek overwogen om het met radslagen te proberen. Allemaal (op die laatste optie na dan) prima in theorie, maar ik kan je garanderen dat je uiteindelijk toch altijd ergens over een been struikelt. En wanneer dat gebeurt? Spel over. Bedek je vitale plekken en probeer er zo goed en zo kwaad als het kan uit te komen. O, en nooit laten zien dat je pijn hebt. Alleen vanbinnen huilen.

Ik heb gezien hoe kinderen eraan onderdoor gingen. Hoe helden dankzij tien paar benen gereduceerd werden tot hoopjes ellende. Maar ik niet: ze kunnen nog zo hard schoppen, mij krijgen ze er niet onder. Die bevrediging gun ik ze niet. In plaats daarvan laaf ik me eraan, sla ik elk beetje energie dat zij verspillen op voor eigen gebruik.

Want wanneer ik eenmaal mijn ding gevonden heb? Dat geweldige iets dat mij van hen zal onderscheiden? Nou, dan zullen ze het weten.

Dan zal ik zo superieur zijn dat ik niet eens naar ze hoef te trappen. Dan zal ik zo hoog vliegen dat ik ongrijpbaar ben, zeker voor hen.

6

'Passie voor Nasi?' Ik zuchtte in de telefoon, probeerde vriendelijk te klinken, ook al zorgden de woorden ervoor dat ik het liefst met een gebroken eetstokje mijn eigen tong af zou hakken.

Alsof het nog niet erg genoeg was om als Chinees kind boven een Chinees afhaalrestaurant te wonen, moest dat restaurant ook nog eens de meest stomme naam hebben die er bestond.

Geen idee wat er mis was met De Blauwe Lotus, zoals het heette toen pap het kocht, maar mam had erop gestaan, vond dat we ons eigen, persoonlijke stempel op de tent moesten drukken. Volgens haar was er met de vorige eigenaars altijd de spot gedreven, alles wat los en vast zat zouden ze gefrituurd hebben, eetbaar of niet.

Dus toen ze zag dat een kapperszaak aan Newland Avenue Huis en Haar heette, besloot ze dat wij hun idee moesten kopiëren, ook een leuke woordgrap moesten bedenken, iets wat mensen makkelijk konden onthouden, voor als ze honger kregen.

En dat werd uiteindelijk Passie voor Nasi. Het was dat of Wok of Fame. Allebei even belachelijk als je het mij vraagt, maar ja, ik was slechts hun zwembrilletjes dragende, van vuurwerkshows verstoken, maaltijden bezorgende zoon. Wat wist ik er nou van?

En voor mam maakte het niet uit. Zij hoefde de telefoon niet elke avond aan te nemen, hoefde niet naar het gegniffel te luisteren, terwijl ik me bij elke bestelling die ik opnam angstig afvroeg of die stomme naam me niet weer een *Walk* zou opleveren de volgende ochtend. Helemaal uitsluiten durfde ik het niet.

Mam bracht sowieso zo min mogelijk tijd door in het afhaal-restaurant. Niet omdat ze het beneden haar stand vond of zo, maar het was gewoon allemaal te chaotisch, een nachtmerrie wat betreft welzijn en veiligheid, iets waar ze helemaal niet tegen kon. In plaats daarvan draaide haar leven, al zolang ik me kon herinneren, om de avondschool met zijn altijd nieuwe, spannende en eerlijk gezegd vaak bizarre cursussen.

Mam was namelijk verslaafd aan vervolgonderwijs. Wat voor cursus het ook was, zij probeerde het.

Bloemschikken
Manden vlechten
Pottenbakken
Houtbewerking
Metselen
Origami

Geen onderwerp was te mannelijk of vrouwelijk, geen thema te ingewikkeld om te proberen. Alles had ze al gedaan, maar het gekste was dat ze helemaal niets kon aantonen, geen certificaten of diploma's en, vreemder nog, geen enkel voorbeeld van wat ze gemaakt had. In al die jaren had ze nog nooit zelfs ook maar een papier-maché asbak mee naar huis genomen.

En dat vond ik vreemd, uiteraard. Het liefst had ik gevraagd waarom, zonder daarbij zelfgenoegzaam of neerbuigend over te komen, maar ze was altijd zo enthousiast over al haar cursussen – sloeg nooit ook maar één avond over – dat ik het niet durfde. Het leek zo wreed. Misschien was ze er gewoon niet zo goed in en schaamde ze zich er teveel voor om iets mee naar huis te nemen. Bovendien vond ik het eigenlijk wel prima dat ze drie avonden in de week weg was. Bij pap mocht ik veel meer, ook al bleef de keuken verboden terrein. (Al die messen en hete olie? Paps leven stelde toch al niet meer zoveel voor, wanneer ze thuis zou komen en er mij wat zou mankeren, dan zou hij meteen in de volgende portie chow mein verwerkt worden.)

Bestellingen aannemen via de telefoon, in gezelschap van een tv die *alleen maar* de origamizender kan ontvangen, is niet iets wat wie dan ook lang vol zou houden.

Meer dan een uur per avond trok ik het dan ook niet. Zodra het langer duurde, bestond het risico dat ik alles wat los en vast zat tot een papieren zwaan ging vouwen. Menu's, kranten, klanten, wanneer ze maar lang genoeg stilstonden. Op dat soort momenten was ik intens dankbaar voor die ene overwinning die ik in al die jaren van mams bemoeienissen toch nog had weten te behalen.

Een kleine triomf slechts, maar wel eentje waarvan ik enorm genoot. Vergelijkbaar met het winnen van een combinatie van de wereldbeker en de Nobelprijs voor de Vrede.

Twee jaar geleden, na maanden zeuren, smeken en spectaculaire krokodillentranen, had ik haar eindelijk zover gekregen dat ik voor Passie voor Nasi aan huis mocht gaan bezorgen. En beter nog, ze had zelfs voor een vervoermiddel gezorgd.

Dit was geweldig nieuws. Jarenlang had ik niet mogen fietsen, nadat ik als zesjarige van mijn fiets gevallen was en daarbij een centimetertje huid van mijn knie geschraapt had.

Na een lange wachttijd op de Eerste Hulp, waar de artsen eerst nog hadden moeten lachen, maar al snel wanhopig geworden waren toen mijn moeder weigerde om te vertrekken voordat er een röntgenfoto gemaakt was, was de fiets in de schuur achter een tiental kapotte vrieskisten gezet, waarna ik er nooit meer op had mogen rijden.

De dag waarop mijn nieuwe fiets arriveerde had dan dus ook eigenlijk een mooiere dag dan welke Kerst OOIT moeten zijn. In de geschiedenis van de mensheid.

Helaas werd het echter zo'n dag die je het liefst voor altijd uit je geheugen zou willen wissen.

In plaats namelijk van een glimmende, strakke mountainbike, met een lichtgewicht aluminium frame en Shimano-versnellingen, stond ik oog in oog met een DRIEWIELER met loden frame uit de jaren zeventig, compleet met bak voorop en uitgerust met meer lampen dan de landingsbaan van een vliegveld.

Mam dacht dat ik tranen van blijdschap huilde en trok me dicht tegen zich aan, terwijl ik bevend dacht aan alle vernederingen die me weer te wachten stonden.

En alsof dat allemaal nog niet genoeg was, haalde ze ook nog een paar extraatjes tevoorschijn. Een uitgebreide collectie fluorescerende kleding, die zo leek weggekaapt van een zwaarlijvige klaarover, en een paardrijhelm met een zaklamp er bovenop getapet.

Ik dacht dat ik dood ging.

Ze straalde van trots toen ik even later voor haar stond als de meest lichtgevende, belachelijke ster uit het heelal.

'Goed, je mag dus gaan bezorgen, maar ik wil wel dat je je aan een paar regels houdt. Je mag alleen bezorgen als het licht is. Bestellingen na zeven uur 's avonds zullen door iemand anders gedaan worden.'

'Maar het wordt pas om negen uur donker!'

'Zeven uur of helemaal niet.'

'Maar ik heb toch al die verlichting.'

'En die ga je ook allemaal gebruiken, inclusief de beschermende kleding, bij *elke* bestelling die je rondbrengt.'

'Eh?'

'ELKE bestelling, Charlie.'

'Maar zo verblind ik elke chauffeur op de weg', jammerde ik. 'De mensen zullen me nastaren. Ze zullen de draak met me steken. Ze zullen foto's maken, denken dat ik een laag overvliegende ufo ben.'

'Maar je bent wel veilig. Daar gaat het mij om en daarmee is deze discussie dan ook gesloten.'

Ik wierp pap nog een smekende blik toe, die hij beantwoordde met zijn standaard *Ze is je moeder* blik. Ik nam me voor om op wat voor manier dan ook wraak te nemen en vertrok mijn gezicht, toen de paardrijhelm op mijn hoofd gezet werd.

'Nou, toe maar dan. Rijd eens een proefrondje!'

'Straks misschien, mam. Over vier uur wordt het al donker. Misschien moet ik het risico maar niet meer nemen.'

'Een kort rondje kan toch wel even.' Hoewel de blik in haar ogen iets anders zei.

Ik sloeg mijn been over de stang, zette mijn voeten op de pedalen en duwde.

Niets.

Ik probeerde het nog een keer, maar er bewoog helemaal niets. Pas toen ik op de pedalen ging staan en me inspande als een nijlpaard, kwam er eindelijk beweging in de tandwielen en ging ik zowaar wat vooruit. De drie wielen draaiden één keer helemaal rond, voordat ik weer tot stilstand kwam.

Een groepje kleine kinderen aan de overkant van de weg stond te lachen en te wijzen. Het voelde als een eerste stap op weg naar de ultieme vernedering en dat allemaal dankzij de goedheid van mijn eigen vlees en bloed.

En ik kreeg gelijk. Maar tegelijkertijd ook weer niet. Want de horrordriewieler bleek me uiteindelijk, na twee jaar van mentale en fysische pijn, een ander pad dan de Straat der Vernedering op te sturen.

Een spannend pad. Anders dan de doodlopende straten, die ik normaal gesproken in fietste. Een opwindend en verrassend pad. Een supersnelweg met slechts één wegwijzer, met daarop de tekst 'Populariteit deze kant op'.

7

Er zijn niet echt veel briljante kanten aan de stad waarin ik woon, maar elke keer dat ik op mijn driewieler stap om varkensballetjes te bezorgen bij de vetzuchtige man op Bellfield Drive 59, ben ik toch wel heel dankbaar voor het feit dat het er zo vlak is.

Na enkele pijnlijke, met kramp vervulde maanden was ik eindelijk een beetje gewend geraakt aan de driewieler, maar echt snel ging het nog steeds niet. Het feit dat mijn dijbeenspieren inmiddels even gespierd waren als Popeyes armen maakte geen verschil – het stalen nijlpaard (zoals ik de fiets genoemd had) weigerde om sneller dan kruiptempo te gaan.

Vooral de eerste dagen had ik doodsangsten uitgestaan. Vijfjarigen met zijwieltjes aan hun fietsjes hadden me joelend met een rotvaart ingehaald. Op een dag was er zelfs een vogel op mijn stuur geland, in de veronderstelling dat het een zachtjes in de wind wiegende tak was. Ik geloof dat het beest zelfs even overwoog om er zijn nest te bouwen.

Een verschrikkelijke nachtmerrie dus die, wat ze je ook willen laten geloven, beslist niet minder werd met de tijd.

Daar ging ik, een verkleed, lichtgevend spookbeeld, zwoegend over Carr Lane, een bordje met *Passie voor Nasi EXPRESS* op mijn bak, zodat iedereen goed kon zien dat ik het was op die fiets, debiele Charlie Han.

Het verwerken van deze algehele vernedering nam me zo in

beslag, dat ik niet eens doorhad dat alles op het punt stond te veranderen...

Het was mijn laatste bezorging van die dag (hoewel de zon nog altijd brandde op de achterkant van mijn nek) en achter me hoorde ik een rollend geluid, dat steeds luider werd.

Ik zette me schrap, klaar voor de gebruikelijke pesterijen van een groepje brutale kleuters, toen een jongen van mijn eigen leeftijd op zijn skateboard voorbij schoot. Man, wat ging die snel.

Ik voelde hoe hij langs me heen blies en misschien kwam het door het feit dat hij me noch zag, noch uitschold, maar het was ongetwijfeld het meest coole wat ik ooit gezien had. Het leek wel alsof hij zweefde.

Meteen was ik de lekkernijen in mijn bak vergeten, ik ging op mijn pedalen staan en trapte met alle kracht die ik in me had; ik mocht hem niet uit het oog verliezen, wilde precies zien wat hij ging doen. Gelukkig stopte hij zo'n vijftig meter verderop bij een bankje.

Voorzichtig naderde ik, terwijl ik probeerde om cool te lijken, ondanks het feit dat ik zweette als een otter. Nog altijd leek hij niet in het minst geïnteresseerd in mij en ook bleek hij niet ge-stopt te zijn om op *uit te rusten* op het bankje. Nee, hij skatete er in volle snelheid op af.

Het was doodeng, het soort onhandige, idiote gedrag dat ikzelf normaal gesproken vertoonde, en heel even dacht ik dat ik een lang verloren gewaande broer ontdekt had. Ik moest wel blijven kijken, ik kon niet anders. Het was alsof ik mezelf door andermans ogen zag...

Maar toen gebeurde er iets vreemds. Vreemd en tegelijkertijd geweldig en hartstikke cool.

Op het moment dat de jongen bij het bankje aangekomen was, net toen hij op het punt stond zichzelf ernstig te verwonden, sprong hij.

En wat denk je? Het skateboard sprong mee. Als vastgelijmd bleef het aan zijn voeten vastzitten, waardoor hij moeiteloos over het zitgedeelte van de bank gleed, door gleed totdat... beng! De wieltjes met een klap weer op het trottoir terechtkwamen – en hij vrolijk verder skatete.

Op dat moment deed ik twee dingen. Eerst sloot ik mijn mond weer, die opengevallen was, en toen begon ik als een gek te applaudisseren. Ook al hoorde hij me niet, ook al keek een ouder echtpaar aan de overkant van de straat verontrust in mijn richting. Ik zag hoe de man met zijn wijsvinger naar zijn voorhoofd wees, maar het kon me niet schelen. Ik was zojuist getuige geweest van het meest geweldige OOIT. En ik *moest* er meer van zien.

Opkijkend zag ik dat de jongen linksaf, Well Lane ingeslagen was en ik kon wel raden waarnaar hij nu op weg was: het park.

Met hernieuwde energie fietste ik er met een kilometer per uur achteraan en durfde pas weer te stoppen toen ik de jongen op het vliegende skateboard weer in het vizier had.

Hij was inmiddels niet meer alleen; om hem heen stonden nog zo'n twintig anderen.

Ze hadden zich verzameld bij het oude, verlaten pierenbadje. Een paar jongens waren aan het skaten, de anderen zaten op hun skateboards opgewonden met elkaar te praten.

Het pierenbadje stond al jaren leeg. Ouders hadden het niet meer willen gebruiken, nadat een kind er een of andere vreemde ziekte opgelopen had, die sinds de zeventiende eeuw niet meer voorgekomen was. Triest en leeg had het erbij gelegen, totdat het herontdekt was door een groepje bmx'ers, en niet veel later door de skaters.

In het midden van het badje ontdekte ik iets nieuws. Een houten helling, U-vormig en hoog. Zo hoog, dat ik niet kon geloven dat hij me nog niet eerder opgevallen was. Was de helling van steen geweest, dan had Sinus er zeker wel een maand naar kunnen kijken.

Het gevaarte torende boven de skaters uit, drie keer hun hoogte ongeveer, met aan beide kanten een plateau dat breed genoeg was voor iedereen om op te staan, ter voorbereiding op de afdaling.

Ik zette het nijlpaard naast een boom, niet op slot (in de hoop dat iemand gek genoeg was om het ding te stelen), voordat ik in kleermakerszit in de buurt van het badje ging zitten.

Het. Was. Geweldig.

Een voor een wierpen ze zichzelf van het plateau, om met adembenemende snelheid naar beneden te denderen en vervolgens weer omhoog te schieten. Boven aangekomen kwamen ze telkens even los van de grond, wieltjes draaiend onder hun voeten, hun ruggen gekromd terwijl ze het skateboard vastpakten en omdraaiden, vlak voordat de wieltjes de grond weer raakten.

Ik geloof dat mijn mond wel een kwartier lang in de 'WAUW'-stand stond, zo geboeid was ik.

En weet je wat nog het mooiste was?

Soms, best vaak eigenlijk, vielen ze van hun boards. En wanneer dat gebeurde zagen ze er heel even onhandig en belachelijk uit. Maar niemand lachte ze uit. Ze hielpen elkaar weer overeind, klopten elkaar op de rug en gaven elkaar een high five, voordat ze het opnieuw probeerden.

Op dat moment wist ik dat dit mijn kans was. Ik had iets gevonden waarbij het voor de verandering eens niet uitmaakte dat ik een beetje onhandig was. Waarbij het er gewoon bij hoorde. Ik kon de klopjes op mijn rug al bijna voelen, mijn hart ging tekeer, de opwinding steeg. DIT WAS HET!

Totdat mijn telefoon ging en pap in mijn oor fluisterde.

'Heb je een lekke band of zo? Nummer 59 wil weten waar zijn eten blijft.'

Ik voelde hoe mijn droom als een zeepbel uiteenspatte.

Daar zat ik dan, dromend van een leven als skateboardheld, terwijl het enige wat ik had, een nijlpaard was. Erger ging niet en ik wist dat er iets moest gebeuren.

Maar hoe moest ik een eigen skateboard betalen? En, belangrijker nog, hoe zou ik deze nieuwe, gevaarlijke liefde, ooit langs mijn moeder krijgen?

8

Sinus' blik liet het metselwerk niet los, terwijl hij mijn vraag beantwoordde. Hij stond zo dicht op de muur dat één enkele nies genoeg geweest zou zijn om het hele ding eronder te laten zitten. 'Skateboarden? Weet ik eigenlijk niet zoveel van. Maar geef vooral een seintje wanneer je ermee gaat beginnen, zodat ik kan gaan sparen voor een begrafenisoutfit.'

'Haha', lachte ik. 'Zo gevaarlijk is het anders niet, hoor. Bovendien heb ik ze gezien op de halfpipe. Het stelt helemaal niks voor als ze eraf vallen. Het hoort er gewoon bij.'

Twee ogen keken me nu aan, vergezeld van een paar opgetrokken wenkbrauwen. Het hoofd schudde even vol medelijden, om zich vervolgens weer op de muur te focussen.

Misschien was Sinus ook gewoon niet de juiste persoon om mee te praten, maar ik had nu eenmaal geen andere opties. Er was geen sprake van dat ik mam om het geld voor een skateboard kon vragen en pap zat zo bij haar onder de plak, dat hij het waarschijnlijk meteen zou doorvertellen als ik het hem vroeg. En dus bleef alleen Sinus over.

Sinds mijn eerste bezoekje aan de halfpipe een week eerder had ik aan niets anders meer kunnen denken. Elke pagina die ooit over skaten geschreven was, had ik gegoogeld en hoe meer ik las, hoe meer ik geobsedeerd raakte. Ik vond een artikel over Tony Hawk, de vader aller skaters blijkbaar, die dingen deed die alle wetten van de logica en zwaartekracht tartten. Hoezeer ik ook speurde naar onzichtbare touwen, waarmee hij overeind gehouden werd, of naar tekenen van CGI, ik vond niets. De man was een levende legende.

Ik genoot van elke clip, elk interview dat ik kon vinden, en allemaal vertelden ze me hetzelfde. Namelijk dat ik voorbestemd was voor deze sport, dat dit mijn *iets* was, waardoor ik uit de goot getild zou worden.

Het enige probleem was echter hoe ik zo'n skateboard moest betalen. Van een nieuw exemplaar kon sowieso geen sprake zijn, aangezien mijn spaarpot niet meer dan £ 1,14 in kleingeld, een halve penny uit 1975 en een button van Justin Bieber bevatte. Vraag me niet hoe *die* daar terechtgekomen was. Ik had geen idee, maar vermoedde een flauwe streek van Sinus.

En echt veel fooi had ik ook niet ontvangen de laatste tijd. Het nijlpaard was zo langzaam, dat het eten meestal lauw was, wanneer het eindelijk bij de mensen afgeleverd werd, en pap had het zo langzamerhand drukker met het noteren van klachten dan van bestellingen.

Ook eBay had ik al geprobeerd, ik had geboden op alles binnen een straal van 15 kilometer, maar elke keer dat ik een koopje voor £ 1,- gevonden dacht te hebben, werd ik prompt weer overboden door iemand die er £ 1,14, een oude fiets en twee Bieber buttons voor kon geven.

Ik faalde. Ik faalde al voordat ik begonnen was.

En daarom had ik Sinus in vertrouwen genomen. Over wanhopig gesproken.

'Dus waar ik nu eigenlijk naar op zoek ben, is iemand met een extra skateboard', zuchtte ik.

'Ik snap het.' Het interesseerde hem helemaal niets en dat liet hij merken ook. In plaats daarvan had hij zijn neus inmiddels in een nieuw ogend schrift gestoken.

'Dat, of iemand die een poging gewaagd maar het weer opgegeven heeft. Iemand die mij zijn board cadeau zou kunnen doen, omdat hij het niet meer wil', probeerde ik het nog een keer.

'Ja, alsof dat zou gebeuren. Droom lekker verder, vriend.'

Dat was het. Tot zover Sinus' bijdrage.

Zo bleven we twintig minuten zitten, terwijl hij afwisselend druk in zijn schriftje schreef en dromerig naar de muur van het scheikundelokaal voor ons staarde.

Ik had het al bijna opgegeven, toen hij ten slotte nog wat zei.

'Je zou natuurlijk ook Bunion kunnen vragen of je zijn board mag gebruiken.'

Ik staarde hem aan. Bunion. Zijn oudere broer, met voeten die zo groot waren, dat Sinus' neus er een pukkeltje bij leek.

Meer dan eens had ik me afgevraagd wat er mis was met de genen in zijn familie. Het was maar goed dat Sinus' ouders slechts twee kinderen gekregen hadden. Een jongen met oren zo groot, dat ze over de vloer zouden vegen, zou geen enkele kans van slagen gehad hebben.

'Je maakt een grapje, zeker!' riep ik. 'Heeft Bunion er één? Al die tijd had Bunion dus een skateboard, maar je vond het niet nodig om dat even te vermelden?'

'Je hebt het me pas twintig minuten geleden verteld.'

'En zo lang duurt het voor geluid om via je neus bij je hersens aan te komen, zeker?'

Zoals altijd negeerde hij de belediging. 'Geluid gaat via je oren, niet via je neus, domoor.'

Ik haatte het, wanneer mijn beledigingen geen effect hadden, vooral omdat dat bij hem bijna altijd het geval was.

Geïrriteerd stond ik op en liep demonstratief weg. Sinus ademde zwaar terwijl hij me probeerde in te halen.

'Waar ga je heen?' vroeg hij, bang dat hij de volgende episode van *Charlie Heeft een Doodswens* mis zou lopen.

'Waarheen denk je?' mompelde ik. 'Naar Bunion, natuurlijk.'

9

Je moest wel heel goed je best doen om iets positiefs aan Bunions uiterlijk te kunnen ontdekken.

Man, wat was die jongen lelijk.

Het enige positieve wat ik aan zijn unieke uiterlijk kon ontdekken was dat hij niet zomaar even omver geblazen kon worden door wat voor wind, storm, orkaan of tropische tyfoon dan ook. Daar waren zijn voeten namelijk veel te lang voor. Een soort menselijke boomwortels, zeg maar.

Al vanaf zijn zevende werden schoenen speciaal voor hem op maat gemaakt; zelfs in een paar kano's had hij waarschijnlijk al niet meer comfortabel met zijn tenen kunnen wiebelen.

Uiteraard was hij dan ook niet goed in dingen als voetbal. Elke schoen zou zeker zo'n honderdvijftig noppen nodig gehad hebben om grip op de grasmat te krijgen. En toch kon ik me, vreemd genoeg, niet herinneren dat ik hem ooit *The Walk* had zien doen op school. En ook was ik niet graag het slachtoffer geweest als hij een van de schoppers geweest was. Hij zou je hele been eraf trappen.

Maar hij was net als Sinus. Mocht zijn fysieke voorkomen hem al storen, dan liet hij dat niet merken. Sterker nog, zijn houding was zelfs wat arrogant.

Hij had de gewoonte om altijd een beetje heen en weer te deinen op de bal van zijn voeten, een beweging die, dankzij de grootte van die voeten, mij elke keer bijna zeeziek maakte. Dit wist hij en hij gebruikte het als een soort wapen, vooral nu hij wist dat ik iets van hem wilde.

'Natuurlijk mag je mijn skateboard hebben…', grijnsde hij poeslief.

Ik vertrouwde het niet en vroeg me af wat er mis kon zijn met het board. Was het misschien vijftien meter lang, omdat zijn voeten er anders niet op zouden passen?

'… maar daar moet wel wat tegenover staan.'

'Zoals ik al zei, Bunion, ik heb geen rode cent.'

Hij zuchtte overdreven. 'Ik heb het niet over geld. Wat denk je dat ik ben? Een beest?'

Met één enkele pas liep hij om me heen. 'Nee, ik heb het over rente. Elke week dat je gebruikmaakt van mijn skateboard, kun je me betalen met eten uit dat restaurant van jullie. Ik ben gek op je vaders gamba's en chow mein. Vier keer per week is wel voldoende.'

'Vier keer per week? Weet je wel wat gamba's kosten?'

'Nu doe je net alsof ze kingsize zijn. Die van jouw vader lijken meer op garnaaltjes.'

'Eén keer per week.'

'Drie keer per week', hield hij vol.

'Twee keer, en dan doe ik er wat kroepoek bij.'

'En ingelegde eieren!' Ik zag hem kwijlen.

'Oké', kreunde ik.

'Graag gedaan', grijnsde hij, waarna hij richting het schuurtje liep, om twintig minuten later terug te komen met iets wat leek op een skateboardvormig spinnenweb.

'Alsjeblieft.' Hij duwde het voorwerp in mijn handen alsof het koemest betrof. 'Heb er toch altijd al een hekel aan gehad. Stomme sport.'

'Dankjewel', zei ik, hoewel ik het niet meende. Wat moest ik hier in vredesnaam mee beginnen? Het ding zag er nog erger uit dan het stalen nijlpaard.

'Donderdag verwacht ik de eerste betaling, half zeven. En waag het niet om te laat te komen.'

'Prima', mompelde ik, terwijl ik me voornam om wat specerijen uit mijn oren aan zijn eten toe te voegen.

Maar mijn slechte humeur was slechts van korte duur. Nadat ik het skateboard langs mam had weten te smokkelen en de dikke lagen spinnenweb en stof eraf gebikt had, zag het er eigenlijk helemaal niet zo slecht uit. Zeker geen vierwielig equivalent van de driewieler, in elk geval.

De bovenkant was effen zwart, met een griezelig, grijnzend duiveltje aan de onderkant. Er was geen krasje op te bekennen, bewijs voor het feit dat het ding amper gebruikt was.

Het enige probleem vormden de wieltjes. Die waren knalrood, precies wat ik nodig had om op te vallen, wanneer ik in de half-pipe heen en weer zoefde, maar ze waren zo verroest en ongebruikt, dat ze weigerden te draaien.

Een half uur lang probeerde ik ze weer aan de praat te krijgen, maar zelfs nadat ik er een half blikje smeerolie tegenaan gegooid had, was er nog steeds geen beweging in te krijgen.

In een laatste wanhopige poging stal ik een fles van paps eigengemaakte kookolie uit de keuken en smeerde daar de wieltjes mee in. Ik liet het twee minuten inwerken, hopend, biddend dat het iets op zou leveren, en raad eens? Na een paar piepende wentelingen begonnen ze zowaar steeds sneller te draaien, totdat de olie duidelijk zo heet werd, dat je er bijna groenten in had kunnen frituren.

Triomfantelijk stootte ik met mijn vuist in de lucht. Dit was het. Dit moest wel het begin van iets moois zijn.

Ik was zo vol zelfvertrouwen dat ik mijn voeten meteen op het board zette en met mijn hiel op het achterstuk drukte om de voorkant omhoog te laten komen, zoals ik het de anderen ook had zien doen.

Meteen schoot het skateboard onder me weg om verderop tegen mijn kledingkast aan te knallen, waarbij het een flink stuk hout weg sloeg. Ik viel achterover en landde hard met mijn hoofd tegen de onderkant van het bed. De pijn was onverdraaglijk.

Ik kreunde luid, maar tijd voor zelfmedelijden was er niet, aan-

gezien mams bezorgde voetstappen al op de trap te horen waren.
'Charlie? Charlie, lieverd? Is alles in orde?'
Ik sprong overeind en dook richting het skateboard, om het snel
onder het bed te verstoppen. Waarschijnlijk zag ik er belachelijk
uit, zo half onder het bed, terwijl er op mijn achterhoofd lang-
zaam een ei aan het ontstaan was.
'Heb je je pijn gedaan?' jammerde ze.
'Nee, nee, niets aan de hand, echt niet.'
'Weet je het zeker?'
'Helemaal.' Hoewel mijn schedel het tegendeel schreeuwde.
Wantrouwend liet ze haar blik door de kamer gaan, zoekend naar
wat er gebeurd kon zijn. Toen zag ze paps olie.
'Wat doet die hier nou?' vroeg ze, terwijl ze de fles oppakte.
Mijn hoofd tolde, waardoor mijn mond de meest belachelijke
woorden ooit uitkraamde.
'Droge huid', wauwelde ik, 'op mijn elleboog. Ik hoopte dat het
zou helpen tegen de jeuk.'
'Maar daar moet je *dit* toch niet voor gebruiken!'
En daarmee begon een rigoureus onderzoek van mijn ellebogen,
knieën en alle andere gewrichten van mijn lichaam. Pas toen ze
vastgesteld had dat er geen sporen van wratten, ringworm, ec-
zeem, psoriasis of rachitis te vinden waren, verliet ze eindelijk de
kamer, met de belofte dat ze me over twintig minuten nog een
keer zou komen controleren.
Pas toen ik haar voetstappen onder aan de trap hoorde, durfde ik
het skateboard weer onder het bed weg te halen. Geschrokken
keek ik naar het eerste krasje op het oppervlak. Maar ik besefte
dat het veel erger had kunnen zijn.
Dit zou wel eens moeilijker kunnen worden dan ik dacht. Mijn
moeder gunde me nu eenmaal niet echt veel privacy. Geheimen
waren daarom eigenlijk geen optie. En al was dat wel zo geweest,
zou ik ooit in staat zijn om rechtop op dat rotding te blijven
staan, laat staan erop te rijden?

10

En zo begon het trainen. Het tot vervelens toe, slopende, geheime trainen. Het soort trainen dat normaal gesproken voorbe-
houden was aan geheim agenten en clandestiene afdelingen van
de FBI. Tenminste, zo zag ik het. Wanneer ik er zo tegenaan
keek, verzachtte dat de pijn een beetje waarin mijn lichaam zich
nu bijna continu bevond.

Het aantal blauwe plekken dat ik onder mijn kleding verborg,
was al niet meer te tellen. Ik had er inmiddels zo veel, dat ik de
tel kwijt was; ze gingen gewoon in elkaar over, als één grote,
pijnlijke vlek. Mijn lichaam had wel wat weg van de getatoe-
eerde armen van David Beckham – nou ja, afgezien dan van het
feit dat meisjes bij mij om een andere reden zouden zijn gaan
gillen.

Uiteraard.

Het was moeilijk om ze voor mijn moeder verborgen te houden
(de blauwe plekken, niet de meisjes), vooral wanneer ik mijn
pyjama aantrok of me uitkleedde om in bad te gaan. Ze had namelijk de vervelende gewoonte (een van vele) om juist dan te
verschijnen, om te vragen of ik nog meer schuim in het water
wilde, of of ik behoefte had aan een glaasje water naast mijn bed.
Ik bedoel, STOP DAARMEE, MAM!

Niet dat ik dat tegen haar zei, natuurlijk; in plaats daarvan lette
ik nog beter op dat ik de badkamerdeur op slot deed en er alles

tegenaan zette wat ik maar kon vinden, zelfs de reserve wc-rollen, vanwege die extra, dubbellaagse bescherming.

Soms voelde ik me wel eens schuldig omdat ik me altijd zo aan haar ergerde. Ik bedoel, ze was toch mijn moeder, en in haar ogen kon ik zien dat ze *echt* ongerust was en het beste met me voorhad. Maar over het algemeen wist ik niet hoe ik ermee om moest gaan en legde ik me er dus maar bij neer, net als pap, waardoor ik me steeds depressiever ging voelen. Langzaam begon ik te begrijpen waarom de man zo weinig praatte.

Hoe pijnlijk het echter ook was, zowel geestelijk als lichamelijk, ik weigerde om het skaten op te geven. Het gevoel dat ik kreeg, die paar zeldzame keren dat het me lukte om overeind te blijven staan, was zo opwindend... zelfs wanneer ik verder niet bewoog. In het begin was ik alleen al uren bezig met blijven staan, waarbij ik langzaam steeds verder opzij leunde zonder eraf te vallen, terwijl ik onder me voelde hoe de wieltjes dreigden te gaan draaien. Ik probeerde me voor te stellen hoe ik eruit zou zien op de halfpipe, het skateboard ratelend onder mijn voeten, terwijl ik omhoog schoot, luisterend naar het geluid van de wind en het naar adem happen van de andere skaters, wanneer ik een truc liet zien die nog nooit eerder in Engeland vertoond was.

Oké, een beetje vergezocht nog allemaal – ik kon er tenslotte nog niet eens op rijden, laat staan vliegen – maar de droom alleen al was opwindend genoeg, inspireerde me, gaf me een duwtje in de rug.

Zodra ik stabiel rechtop kon blijven staan, durfde ik de volgende stap te zetten. Ik bleef achter op school, wachtte tot het plein leeg was en rolde toen voorzichtig over de parkeerplaats, waar het asfalt het gladst was.

Het viel niet mee om te oefenen zonder gezien te worden, of zonder Sinus van streek te maken, die niet begreep waarom hij plotseling elke dag alleen naar huis moest lopen.

'O', snoof hij, 'heb je soms betere dingen te doen?'

Ik voelde me schuldig en oefenen op het schoolplein was ook verre van ideaal. Meer dan mijn lichaam lief was moest ik plotseling achter de bosjes duiken, om maar niet ontdekt te worden. Toch was elke nieuwe blauwe plek beter dan gezien worden voordat ik er klaar voor was, wat, gezien mijn voortgang, waarschijnlijk niet voor 2037 zou gebeuren.

Het probleem was simpel. Zodra ik in beweging kwam, verloor ik mijn evenwicht. Hoezeer ik ook mijn best deed. Door de knieën zakken hielp niet, en mijn kont naar achteren duwen ook niet. Hoe kon het dat het er bij de anderen zo makkelijk uitzag, terwijl ik elke keer weer als Bambi op het ijs onderuit ging?

Maar toen, net toen ik op het punt stond om er de brui aan te geven, kwam de doorbraak. Ik was bestellingen aan het rondbrengen op het nijlpaard, behoorlijk chagrijnig, toen ik over wat gebroken glas op straat reed. Binnen enkele seconden liepen de banden leeg, waardoor ik strandde met twee tassen afhaalvoedsel voor een paar notoire klagers. De man van nummer 59 had de laatste keer al gedreigd dat hij het eten over me heen zou storten als ik weer te laat zou zijn en aangezien ik daar niet echt op zat te wachten…? Nou ja, je snapt hoe ik me voelde.

Paniek maakte zich van me meester. De enige optie die ik nog had, was het skateboard, dat in de bak lag. Ik had *tussen de bestellingen door* willen oefenen, maar nu? Nou ja, ik kon het in elk geval proberen. En dus, met in elke hand een tas vol eten, plantte ik mijn linkervoet op het skateboard en zette met mijn rechtervoet af.

Waar de moed en het vertrouwen opeens vandaan kwamen, weet ik niet, maar na een wiebelige start ging ik vooruit. Ging ik vooruit zonder te vallen. Ging ik vooruit zonder een nieuwe blauwe plek op te lopen.

Het was geweldig. Goed, er werd geen snelheidsrecord of zo verbroken, maar ik bleef overeind staan. Ik bleef overeind staan en ik ging vooruit! En weet je waardoor het nu opeens wel ging? Door de tassen met eten. Die fungeerden als een soort zijwieltjes op een fiets, waardoor ik in balans bleef.

Ik kan je de blijdschap niet omschrijven die ik vanbinnen voelde, maar ik wist dat hij groeide, zich langzaam een weg baande tot in elke vezel van mijn lichaam. Dit was dus hoe adrenaline voelde. Mam had me er zo lang voor behoed, al zolang als ik me kon herinneren, dat ik haar er nu het liefst bij geroepen had, om haar te laten zien dat ze zich voor niks zorgen gemaakt had. Er ging niemand dood; ik kon dit doen en tegelijkertijd veilig zijn.

De rit naar nummer 59 was onbeschrijflijk. Natuurlijk waren er een paar hobbels, maar nooit zal ik het gevoel vergeten dat ik had, toen ik een zevenjarige op een stepje inhaalde. Bijna had ik me omgedraaid om mijn tong uit te steken.

De zwaarlijvige klant leek geschokt toen hij me op zijn stoep zag staan.

Hij wierp een blik op zijn horloge, keek nog een keer, en pakte toen de tas, waarin het eten nog warm bleek te zijn.

'Niet te geloven', grijnsde hij, 'het hoeft vanavond niet eens in de magnetron.' Hij stopte me een tientje in de hand. 'De rest mag je houden.'

£ 1,50 fooi! Wat een succes. Het dichtst wat ik ooit in de buurt van een fooi van deze man gekomen was, nadat ik vol verwachting mijn hand opgehouden had, was dat hij me geadviseerd had om nooit mijn gat met een gebroken fles af te vegen. Ik wist meteen dat ik het geld zou gebruiken voor nieuwe onderdelen voor het skateboard.

Helaas verliep de rest van de route wat minder gladjes, nu ik nog maar één tas met eten had.

Eén keer moest ik de inhoud van het bakje terug scheppen, nadat ik ongelukkig gevallen was, maar toch lukte het me om verder te rollen. Elke keer dat ik dreigde te vallen, stak ik snel mijn armen opzij.

Stom grijnzend keek ik toe hoe de tweede klant wantrouwend in zijn tasje keek, waarin wel een bom ontploft leek te zijn. Geen fooi dus dit keer, maar dat kon me niet schelen; ik had het toch maar mooi geflikt!

Ik was Charlie Han. Veelbelovende skater. En ik kon niet wachten om die halfpipe op te gaan.

11

Geheimen zijn iets voor andere mensen, niet voor mij.

Niet dat ik daar blij mee ben, maar zo is het nu eenmaal.

Het liefst zou ik zelf ook eens een geheim diep vanbinnen met me meedragen en genieten van het gevoel, dat dat zou geven. Andere mensen kunnen het, dus waarom ik niet?

Maar in plaats daarvan branden ze in mijn hoofd, net zo lang tot ik de hitte onder mijn huid voel, tot ik mijn gezicht als een boei voel gloeien. Iedereen binnen een straal van drie kilometer ziet meteen wat er aan de hand is.

En mam al helemaal.

Ze leunde over de ontbijttafel en legde haar hand op mijn voorhoofd.

'Ik weet niet of jij wel naar school moet vandaag, jongeman.' Ze keek bezorgd. Zoals altijd.

Ik kauwde onverstoorbaar verder op mijn Cheerios, als om te laten zien dat ze zich voor niets ongerust maakte.

'Je voelt heet aan…' Ze zuchtte. 'Weet je zeker dat je je goed voelt? Geen uitslag, of andere symptomen?'

'Ik voel me prima, mam. Echt.'

'Maar je zweet helemaal.'

'Er is niets aan de hand. Ik heb net wat oefeningen gedaan in mijn kamer, meer niet. Wat push-ups en zo.' Ik spande mijn armspieren aan, maar was zelf ook niet onder de indruk. Het bleven magere armpjes.

'Nou, ik vind dat je wat pips ziet. Misschien dat je toch maar een dagje thuis moet blijven. Laten we nou maar geen risico's nemen.'

Ik sprong overeind, waarbij ik mijn hoofd tegen de lampenkap boven tafel stootte.

'Dat is nergens voor nodig!' riep ik, een beetje te wanhopig.

'Echt. Hou nou eens op met altijd zo bezorgd te zijn. Er is echt niets met me aan de hand.'

Thuisblijven was geen optie. Uitgerekend vandaag had ik eindelijk al mijn moed verzameld om voor het eerst naar het skatepark te gaan. Dit was de dag waarop de andere kinderen van school me anders zouden gaan zien, of me misschien wel voor het eerst zouden gaan zien.

Twee maanden lang had ik naar deze dag toegewerkt. Al die uren dat ik geoefend had, al die boeken en artikelen die ik verslonden had. Ik was er klaar voor. Vandaag was de dag, anders zou ik altijd wel weer een excuus vinden. En daar kon ik niet mee leven.

'Alsjeblieft, mam.' Bij het zien van haar gekwetste blik ging ik weer wat zachter praten. 'Je hoeft je echt geen zorgen te maken. Ik voel me prima. Beter dan prima zelfs. Ik voel me geweldig! Maar als je dat liever hebt, dan zal ik nog een extra laag opsmeren.'

'Je bent een lieve jongen en het spijt me dat ik altijd zo moeilijk doe.' Ze leek geëmotioneerd. 'Maar zodra je een verkoudheid voelt opkomen, wil ik dat je naar huis komt, begrepen?'

'Begrepen.' En om mijn schuldgevoelens te verbergen, omhelsde ik haar even, waarbij ik probeerde om niet te veel in elkaar te krimpen, toen ze een beetje te hard op mijn blauwe plekken drukte.

'Oké, mam, nu mag je me weer loslaten.'

Ze leek het niet te horen. Ik moest me min of meer op de grond laten glijden om te ontsnappen. Bij de deur aangekomen meende ik haar te horen sniffen. Ik hoopte maar dat ze verkouden was en dat het niet kwam door iets wat ik gezegd had.

Vijf minuten later echter leek ik mijn eigen moeder wel.

Daar kroop ik, op handen en voeten, onder een struik aan het eind van de straat, takken en bladeren vlogen alle kanten op, totdat ik mijn skateboard gevonden had. Hier had ik het de afgelopen weken verstopt, sinds mam het een keer bijna gevonden had, toen ze mijn kamer 'opgeruimd' had.

Dat deed ze van tijd tot tijd, hoewel we allebei wisten dat het niet echt was om mijn kamer er netter uit te laten zien.

Wat ze echt deed, was kijken of ze iets gevaarlijks vond, een oefenboek met scherpe hoekjes bijvoorbeeld, of een kapotte rits in mijn spijkerbroek, waaraan ik me vreselijk zou kunnen verwonden.

Uiteraard verliet ze mijn kamer elke keer weer met lege handen, zonder de dodelijke ninja werpsterren of het plutonium, die ik boven op mijn kledingkast verstopt heb voor als ik me eens mocht vervelen.

Ik wist dat het riskant was om het skateboard buiten te verstoppen, en mijn hart bonkte dan ook elke keer in mijn keel totdat ik het weer gevonden had, maar een betere optie had ik niet.

Inmiddels had ik er al flink wat in geïnvesteerd, dankzij de fooien die ik overal in de stad in ontvangst had mogen nemen, en daardoor voelde het inmiddels al lang niet meer alsof het Bunions board was. Het was van mij. Helemaal aan mijn wensen aangepast. Ik verbeeldde me dan ook graag dat niemand, behalve ik, erop kon skaten.

Mijn hartslag kwam weer wat tot rust zodra mijn vingers de wieltjes voelden, om even later meteen weer te versnellen, toen ik van achteren door een hand beetgepakt werd.

Geschrokken draaide ik me om, half verwachtend dat ik mijn moeder zou zien staan, maar het was Sinus, die zijn neus, zoals altijd, weer eens diep in mijn zaken stak.

'Wat doe je daar, debiel?'

Opgelucht pakte ik hem bij zijn trui, niet goed wetend of ik hem om de hals moest vallen of juist een mep moest verkopen, omdat hij me zo had laten schrikken.

'Niets', riep ik, terwijl ik het skateboard zo goed en zo kwaad mogelijk in mijn tas probeerde te proppen.

'Is dat een skateboard?'

Onzeker staarde ik hem aan, me afvragend of het misschien een strikvraag was.

'Eh, ja?'

'Je hebt het dus nog niet opgegeven?' Hij leek bijna wat gekwetst.

Het punt was natuurlijk dat het skaten een beetje in plaats van Sinus gekomen was. Nooit had ik echter gedacht dat hij ermee zou zitten, ik was er eigenlijk van uitgegaan dat ik meteen vervangen zou worden door een nieuwe, indrukwekkend uitziende muur. Maar de verbolgen uitdrukking op zijn gezicht maakte duidelijk dat ik het bij het verkeerde eind gehad had.

'En hoe gaat het? Al veel tanden kwijtgeraakt?'

Ik liet hem mijn stralende gebit zien. 'Geen centje pijn', loog ik, waarbij ik mijn vele blauwe plekken maar liever verzweeg.

'Nou, dat kan ik anders over Bunion niet zeggen', snoof hij. 'Die is kilo's aangekomen, sinds jij hem van eten voorziet. Mijn moeder wil hem al op dieet zetten. Ze dreigt hem steeds met zo'n afvalkamp, wanneer hij niet stopt met het eten van al die kroepoek.'

Die hele vernederende afspraak met Bunion was ook niet bepaald goed geweest voor mijn stressniveau. Ik had bestellingen moeten verzinnen voor pap, waarna ik zonder geld teruggekomen was met de smoes dat de klant niet had willen betalen. Het had me maar weer eens doen beseffen hoe fijn het eigenlijk was dat pap zo rustig was. Iemand met een beetje meer temperament was al lang met een slagersmes bij die mensen langsgegaan om ze alsnog te laten betalen!

Het gevolg was dat ik dus absoluut geen medelijden met die vetzak Bunion had. Eigen schuld, dikke bult. Hij had me zijn skateboard ook uit kunnen lenen zonder me ervoor te laten betalen.

We begonnen richting school te slenteren, terwijl Sinus af en toe door zijn schrift bladerde. Geen idee wat hij er allemaal in geschreven had, maar hij leek nogal tevreden met zichzelf.

'En, hoe goed ben je inmiddels?' vroeg hij.

'Waarin, in skaten?'

'Nee, in ballet. Ja, natuurlijk in skaten.'

'Het gaat niet slecht.'

'Doe je ook al stunts en zo?'

'Niet echt. Dat durf ik nog niet. Maar ik kan al wel bochtjes maken.'

'BOCHTJES MAKEN? Nee maar!' Zijn woorden dropen van sarcasme. 'De afgelopen weken zijn dus zeker NIET voor niets geweest.'

Hij begon me een beetje op de zenuwen te werken. Hij hoefde toch niet op alles wat ik deed commentaar te hebben? Het was nu niet alsof hij zijn leven zo nuttig invulde. Wat deed *hij* eraan om wat minder als freak gezien te worden? Ik probeerde tenminste nog iets.

'Je zou me ook eens kunnen steunen in plaats van me altijd maar uit te lachen, weet je. Ik heb wel eens ergens gehoord dat dat is wat vrienden doen, namelijk.'

Onthutst keek hij me aan.

'Hè?'

'*Waarom* ga je eigenlijk met me om, Sinus? Serieus. Vind je me überhaupt wel aardig?'

'Dat heeft er helemaal niets mee te maken, Charlie', zei hij, bloedserieus nu. 'Snap je het dan niet? Wij passen bij elkaar, of niet soms? Niemand anders wil met ons bevriend zijn en dus kunnen we ons er maar het beste bij neerleggen.'

Hij meende het nog ook, maar ik probeerde het niet te geloven of in ieder geval mijn nieuw gevonden zelfvertrouwen er niet door te laten aantasten. En dus schudde ik mijn hoofd en liep door.

'Wat?' vroeg hij. 'Wat heb ik gezegd?'

'Niets. Je hebt helemaal niets gezegd. Niets, wat ik niet had kunnen verwachten, tenminste.'

'Doe nou niet zo narrig', klaagde hij. 'Luister. Ik zal naar je komen kijken. Wanneer je gaat skaten. Vanmiddag na schooltijd.'

'Wauw, wat grootmoedig van je', zei ik sarcastisch.

Zijn borstkas zette uit van trots, terwijl hij me op mijn rug klopte. Het was duidelijk dat zijn ironieradar niet helemaal goed afgesteld stond.

'Zo ben ik', grijnsde hij. 'Dat doen vrienden voor elkaar!'

Wat moest ik daar nu op zeggen? En dus liep ik maar door, en stopte ook niet toen hij even afgeleid werd door een nieuw gestuukte muur naast de school.

12

Dit was een slecht idee. Vreselijk slecht, zelfs. Het slechtste idee sinds de kapitein van de *Titanic* tijdens die laatste nachtdienst vergeten was om zijn bril op te zetten.

Ik zweer je dat de halfpipe in een paar dagen tijd een meter hoger geworden leek. Dat, of ik was gekrompen.

Ik wist niet wat erger was.

En Sinus maakte het er allemaal ook niet echt makkelijker op. Hoewel ik natuurlijk niet anders had hoeven verwachten.

'Ha!' riep hij. 'Je maakt een grapje, zeker? Ga je je daar serieus vanaf storten?'

'Dat was ik wel van plan, ja', zuchtte ik, 'maar misschien dat ik in plaats daarvan *jou* er maar af moet gooien, als je nu niet snel je mond houdt.'

'Je doet je best maar.' Hij stootte met zijn schouder tegen de mijne, iets harder dan een vriend eigenlijk zou moeten doen, waardoor ik mijn skateboard uit mijn handen liet vallen.

Schaapachtig raapte ik het op, in de hoop dat de jongens op de halfpipe het niet gezien hadden.

'Maar ik denk dat ik eerst nog maar even in het andere gedeelte van het park blijf. Om een beetje warm te draaien, en zo.' Eigenlijk had ik het tegen meer mezelf, maar natuurlijk had Sinus het weer gehoord.

'Goed plan. Waarom ga je niet even spetteren in het ondiepe

deel? Pak je zwembroek maar vast, dan pak ik de waterslang.' Hij snoof door zijn neus, waarbij een snotje ter grote van een gezinsauto loskwam. *Heel aantrekkelijk.*

'Doe me een lol en ga daar zitten, wil je?' Ik wees naar een lapje gras buiten het skategebied. 'Ik ben bang dat je support me anders nog te veel wordt.'

'Goed idee.' Hij liet zich vallen, om zich meteen met volle aandacht te focussen op zowel de toiletmuur *als* zijn schrift. Met een beetje geluk zou hij daar het komende uur naar blijven staren in plaats van naar mij.

Mijn hart bonkte in mijn keel, terwijl ik het hek door liep; het voelde alsof ik de kans kreeg om een leven vol vernederingen achter me te laten en opnieuw te beginnen. En nu echt.

Meteen stootte ik per ongeluk een jongen van zijn board, die langs gescheurd kwam.

'Sorry!' riep ik.

Hij zwaaide even grijnzend naar me, terwijl hij weer op zijn skateboard klom. Mijn hart settelde langzaam weer in mijn borstkas, terwijl ik me voornam om nu niks stoms meer te doen.

Overal om me heen schoten skaters voorbij: sommigen hoger in de lucht dan ik ooit voor mogelijk gehouden had. Je voelde de wind als ze langs gesuisd kwamen; het was net zo opwindend als ik het me voorgesteld had.

Ik ging op het randje van een bankje zitten, dat meteen daarop door een andere skater als hindernis gebruikt werd. Blijkbaar vond hij het niet nodig om mij eerst te vragen om op te staan. Maar hij beheerste de oefening zo goed dat hij keurig langs me heen gleed, op slechts een paar centimeter afstand. Op dat moment werd ik nog meer verliefd op de sport.

Twee jongens stonden toe te kijken en legden de sprong vast met hun telefoons, terwijl ze aanmoedigende kreten slaakten, voordat ze zelf mijn richting op rolden. Ik kende ze van school, vierdeklassers. Een en al lange pony's en onhandig schuifelende voeten. Ik kon me haast niet voorstellen dat ze er op een skateboard wel elegant uit zouden zien.

'Hé, kennen we jou niet?' vroeg de langere van de twee.

'Ja, jij bent dat joch van de afhaalchinees. Die met een beperking.'

Ik durfde hem niet te verbeteren. Alles wat ik nu zou zeggen, zou zijn mening alleen maar versterken, helemaal met die piep-stem van mij.

De langere jongen, met iets wat waarschijnlijk moest lijken op een baardje, wees en glimlachte.

'Ja, ik ken jou ook. Jij bent degene die het been van de conciërge gebroken heeft. Wat een val was dat. HOGE ladder!

'Er moesten wel vijftien pinnen in', vulde de ander aan.

Dit was niet echt het anonimiteitsniveau waarop ik gehoopt had.

'Charlie', mompelde ik, terwijl ik mijn hand uitstak.

'Dan', zei de één.

'Stan', zei de ander, en allebei pakten ze mijn hand om die ver-volgens als een gek op en neer te pompen. Ze waren duidelijk meer behendig dan dat ze intelligent waren. Ik vroeg me af of het makkelijker voor ze zou zijn als ik mijn naam aan zou passen, zodat hij op die van hen zou rijmen.

'Hoe lang skate jij al?' vroeg Stan, terwijl hij mijn board bekeek.

'Niet zo lang. Een paar weken nog maar.' Langer wilde ik het niet laten lijken, voor het geval ik af zou gaan. Ik wilde dat ze onder de indruk zouden zijn, niet geschokt.

'Gaaf board. Nieuwe wieltjes, of niet?'

Ik bekeek de wieltjes, in de hoop dat ik een goede keus gemaakt had.

'Ja, gekocht van mijn loon. Wilde iets dat er een beetje cool uitzag.'

Ik hoopte vurig dat ze me nog nooit op mijn stalen nijlpaard gezien hadden, ik wist niet hoe ik dat ooit zou overleven.

'Die zijn zeker cool. Ook niet goedkoop, denk ik?' Ze draaiden aan de wieltjes, bijna kwijlend over de snelheid ervan.

Mijn board zorgde voor genoeg gespreksstof en ook al waren ze ouder dan ik, en duidelijk heel wat betere skaters, toch waren ze, nou ja, soort van, *geïnteresseerd* in *mij*. Ze vroegen waar ik geoefend had en, belangrijker nog, welke tricks ik al onder de knie had.

'Nog niet echt veel', zei ik blozend. 'Tot nu toe heb ik me eerlijk gezegd vooral geconcentreerd op het er niet af vallen.'

O, NEE! Had ik dat wel moeten zeggen? Ik had geen idee, maar vreesde het ergste.

Dan maakte een nonchalant wegwuifgebaar. 'Nee, joh, daar moet je je helemaal niet druk over maken. Mensen die er nooit vanaf vallen, doen duidelijk niet goed genoeg hun best.'

'Precies', beaamde Stan. 'Hier, moet je kijken.' En hij rolde zijn mouw op om een blauwe plek te laten zien, die niet onderdeed voor die van mij. 'Liep deze op op de trappen van de bibliotheek.' Hij straalde van trots. 'De eerste zes treden lukten me nog, maar op de zevende ging ik onderuit.'

'De volgende keer lukt het je vast, bro', zei Dan, terwijl hij zijn vriend hardhandig op de rug sloeg.

'Zeker weten', vulde ik aan, terwijl ik me afvroeg of ik hem ook moest slaan, of dat dat al een beetje te veel van het goede zou zijn. Ik had geen idee waar de grenzen lagen; dit was onontgonnen terrein voor me – een gesprek met iemand *anders* dan Sinus?

En toen namen ze me mee naar een ander deel van het park, waar ze me voordeden hoe ik een ollie moest maken.

'Daar kun je het best mee beginnen. Er bestaat geen mooier gevoel dan lucht tussen je board en de grond.' Dan had een bijna geëmotioneerde blik in zijn ogen, het soort dat je ook wel ziet bij je oma, wanneer ze je met Kerst wil zoenen.

Maar de emoties waren snel verdwenen toen ze met hun instructies begonnen, en tjonge, wat konden ze het goed uitleggen. Binnen een half uur hadden ze me al zo ver dat mijn board even loskwam van de grond, en ook al duurde het maar een microseconde voordat de wieltjes het asfalt weer raakten, toch had ik even het gevoel dat ik vloog.

Ze leken nog best onder de indruk ook.

'Je hebt talent', lachte Dan.

'Zeker weten. Ik had heel wat langer nodig, voordat ik dat kon', was Stan het met hem eens. 'Nog een paar weken en je staat op de halfpipe, man.'

Dit ging belachelijk goed. Het was gewoon fantastisch. Plotseling herinnerde ik me weer dat Sinus zat te kijken en ik draaide me naar hem om, maar hij keek niet terug. Nou ja, heel eventjes dan, voordat hij zijn neus weer in zijn schrift stak.

'Is dat je vriend?' vroeg Dan.

'Eh…'

Stan onderbrak me. 'Die jongen heb ik wel eens op school gezien. Iedereen denkt dat hij niet helemaal goed bij zijn hoofd is. Omdat hij altijd maar een beetje stom staat te staren.'

Wat volgde was een ouderwets potje kwaadsprekerij, het soort dat ik ook vaak over mezelf gehoord had wanneer ik door de gangen op school liep, het soort waardoor ik me de grootste buitenstaander ooit gevoeld had.

Ze gniffelden en wezen naar Sinus, zonder enige vorm van subtiliteit, maar om wat voor reden dan ook corrigeerde ik ze niet, vertelde ik ze niet dat hij oké was, dat hij mijn vriend was.

In plaats daarvan stond ik er zwijgend bij terwijl ze hem uitlachten en zelfs toen Sinus onze richting op keek, greep ik niet in. Het enige wat ik deed was mijn board op de grond zetten om opnieuw mijn ollie te oefenen. Pas toen ik Sinus op zag staan en weg zag lopen, begon ik me enigszins schuldig te voelen.

'Zullen we je aan een paar anderen voorstellen?' vroeg Dan, toen Sinus uit het zicht verdwenen was.

Ik had nee moeten zeggen. Had ze moeten bedanken voor hun hulp en er vandoor moeten gaan. Achter Sinus aan. Maar dat deed ik niet, natuurlijk.

In plaats daarvan verdrong ik alle gedachten aan hem en knikte als een schoothondje. Volledig naïef liep ik achter ze aan, me voor het eerst in mijn leven voelend alsof ik was waar ik moest zijn, alsof ik erbij hoorde.

13

Vanaf dat moment woonde ik praktisch op de halfpipe. Na schooltijd en in de weekends haastte ik me ernaartoe, mijn bestellingen bracht ik zo snel mogelijk rond. Alles om de tricks te kunnen oefenen die ik onder de knie probeerde te krijgen, al was het maar voor vijf minuutjes.

De ollie had ik inmiddels onder de knie, soort van; ik wist inmiddels dat ik diep door de knieën moest buigen voordat ik zowel mezelf als mijn board de lucht in gooide. Binnen een maand begon ik al voorzichtig met het uitproberen van andere dingen: shuvits, kickflips, heelflips, tricks die ik op YouTube gezien had, maar waarvan ik nooit had kunnen dromen dat ik ze zelfs maar zou proberen. Dan, Stan en de andere jongens die ik had leren kennen waren geweldig, ze moedigden me de hele tijd aan, corrigeerden mijn houding, waardoor ik steeds langer overeind kon blijven.

En ging ik een keer wel flink onderuit, dan gaf dat helemaal niets: het gebeurde hun ook. Ook maakte het niet uit dat ik veruit het kleinste kind in het park was.

Volgens hen was dat zelfs in mijn voordeel.

'Klein maar fijn, Charlie!'

'Jouw zwaartepunt ligt lager. Daardoor lukt het je elke keer weer.'

Het voelde raar om hun complimenten aan te horen. Ik wist niet zo goed wat ik ermee aan moest. Het was niet bepaald iets waaraan ik gewend was. Ik luisterde nauwkeurig, voor het geval dat ze misschien toch bedoeld waren voor iemand anders. Ik bedoel, zelfs Sinus, mijn enige vriend, stond nou niet echt bekend vanwege zijn vriendelijkheid. En dus voelde ik mezelf groeien, elke keer dat ze me een complimentje gaven.

Ook buiten het park merkte ik het verschil. Ik schaamde me niet meer zo wanneer ik op school aankwam elke dag, hoewel de meeste kinderen nog geen idee hadden van mijn nieuwe hobby. Ik begon naar de scheenbenen van mensen te kijken in plaats van naar de grond, durfde zelfs al voor mezelf op te komen wanneer er weer eens iemand bovenop me ging staan bij de kluisjes.

Het enige minpuntje was Sinus. Die was plotseling in geen velden of wegen meer te zien. Tijdens elke pauze ging ik naar hem op zoek, maar hij leek wel van de aardbodem verdwenen. En toen ik hem eindelijk vond, leek hij stiller dan anders, onverschillig bijna. Geen sarcastische opmerkingen of flauwe grapjes meer. Misschien was hij jaloers of pissig vanwege mijn nieuwe hobby: hoe dan ook, het was niet meer hetzelfde met hem en ik leek er niets aan te kunnen doen. Ik probeerde het heus wel, uit schuldgevoel omdat ik die jongens toen zo lelijk over hem had laten praten. Maar toen al mijn pogingen enkel beantwoord werden met een zwijgend schouderophalen, gaf ik het op. Er was genoeg lol te beleven in het skatepark.

Ook thuis was het leven anders geworden. Mam had zichzelf weer eens op een nieuwe cursus gestort, iets met hot-stone therapie. Klonk meer als marteling dan ontspanning, als je het mij vraagt. Maar het betekende wel meer avonden op school, meer inzet, waardoor we haar thuis steeds minder zagen.

Het vreemde was alleen, dat het haar helemaal niet zo gelukkig leek te maken. Ze was afwezig, haar voorhoofd voortdurend gefronst.

'Vind je je cursus eigenlijk wel *leuk*, mam?' vroeg ik.

De glimlach die ze meteen weer opzette, was niet overtuigend.

'Geweldig', antwoordde ze. 'Waarom vraag je dat?'

'Geen idee. Je lijkt niet zo vrolijk.'

Dat klopte, maar er was meer. Ze had zich al weken niet meer met me bemoeid. Niet echt tenminste. Zelfs niet toen ik mijn wang geschaafd had tijdens een wat overenthousiaste actie in het park. Ze zag het wel, uiteraard zag ze het toen ze de badkamer binnenkwam, net toen ik de wond met een wattenstaafje probeerde schoon te maken.

'Gaat het, Charlie, liever?'

Ik voelde mijn lichaam verstijven, mijn hersens kraken, op zoek naar wat ik hier het beste op kon antwoorden.

'Ja hoor, het is niets. Ik heb een beetje te hard in een pukkel geknepen, meer niet.' Ik kon wel door de grond zakken, was dit het beste antwoord waarmee mijn brein kon komen?

Normaal gesproken zou dit incident genoeg geweest zijn voor haar om fanatiek naar *gezichtsverwondingen* te gaan googelen, maar dit keer niet. Ze drong er niet eens op aan om de schade van dichtbij te inspecteren. En ook probeerde ze me niet in de stabiele zijligging te dwingen. In plaats daarvan leek haar blik dwars door me heen te gaan, richting iets veel belangrijkers op de muur achter me.

'Het is niet goed voor je huid hoor, als je ze zo hardhandig uitknijpt', zei ze, voordat ze me zuchtend de ontsmettende crème uit het badkamerkastje aangaf.

Ik had me opgelucht moeten voelen, of dankbaar, of allebei. Maar dat was niet zo. Er was iets aan de hand. Iemand had niet van de ene op de andere dag een volledig andere persoonlijkheid. Niet bij ons thuis, tenminste.

En dus was ik nu voor de verandering eens degene die een ongeruste vraag stelde.

'Gaat het, eh, wel met je, mam?'

'Lief van je om dat te vragen, schat', zei ze, terwijl ze me tegen zich aantrok. Heel even voelde ik haar lichaam trillen. 'Maar ik voel me goed, echt waar. En ik zou me nog beter voelen als jij je gezicht met rust zou laten.' En dat was dat. Weg was ze weer, om ergens een arm, onwetend schepsel te martelen met een handvol kiezels.

'Gaat het echt wel goed met haar?' vroeg ik pap, toen het even rustig in de zaak was.

Hij was weer even behulpzaam als altijd, terwijl hij haar nakeek. 'Je kent je moeder...' Waarop hij weer schaapachtig terug naar de keuken schuifelde.

Ik dacht hierover na terwijl ik achter de balie kroepoek zat in te pakken, en voelde me in dubio. Moest ik me zorgen maken, of zou ik dan net zo'n angsthaas zijn als zij? Uiteindelijk besloot ik me toch mild opgetogen te voelen. Wanneer deze nieuwe aanpak mij de ruimte gaf om weer adem te halen, dan zou het me misschien ook meer ruimte geven om te skaten... uiteindelijk was het allemaal misschien toch niet zo slecht.

Met mam ergens anders, zowel mentaal als fysiek, nam ik het er flink van. Met mijn skateboard racete ik over straat, de bestellingen werden steeds sneller rondgebracht en de fooien stapelden zich op in het blikje onder mijn bed.

Al die tijd dacht ik echter maar aan één ding: de halfpipe. De helling. Dat gigantische beest dat ik zo ontzettend graag wilde temmen. Ik wist dat als ik dát kon, het respect van de anderen compleet en ik nooit meer de koning van de onhandigheid zou zijn. Alleen de gedachte al maakte dat ik vochtige handpalmen kreeg.

Hoe kon ik er op oefenen, met al die anderen erbij? Ik bedoel, ze konden dan wel altijd zeggen dat het niets uitmaakte wanneer je viel, maar er waren altijd zoveel jongens tegelijk op de helling... wat zou er gebeuren als ik iedereen onderuit zou skaten? Eén grote puinhoop van skateboards. In gedachten zag ik de nooddiensttroepen al wanhopige pogingen doen om alle armen, benen en boards uit elkaar te halen. Paranoia maakte zich van me meester. Dit was niet goed.

Ik probeerde om 's avonds naar de halfpipe te gaan, wanneer het donker en rustig was. Maar dat was riskant: het schema van mijn moeder was onvoorspelbaar, dus wanneer ik haar bij thuiskomst achter de balie aantrof, moest ik snel een smoes verzinnen, dat ik huiswerk gemaakt had bij Sinus bijvoorbeeld. Het was zo'n slechte leugen, dat ik niet verwachtte dat ik ermee weg zou komen.

Toch trapte ze erin, hoewel niet van harte, aangezien ze het niet zo op had met Sinus en zijn familie. Ik denk dat ze bang was dat ik zou struikelen over een van hun enorme lichaamsdelen en naar het ziekenhuis zou moeten.

Uiteindelijk bleek het sowieso een slecht idee te zijn. De lampen in het park waren veel te zwak om de halfpipe echt goed te verlichten en zonder goede verlichting was het onmogelijk om het goed te leren. Niet zonder eerst aan het infuus te eindigen, tenminste.

Het begon me steeds meer bezig te houden, ik piekerde er meer over dan goed voor me was. Wanneer ik me eigenlijk op trigonometrie moest concentreren, zat ik hellingen te tekenen. Het begon de leraren op te vallen en er werd gedreigd met brieven aan ouders. Ik dreigde er langzaam aan onderdoor te gaan.

Ten slotte wendde ik me tot mijn nieuwe vrienden, Dan en Stan, op zoek naar hulp.

Ik zag ze vaak op school, ging dan bij ze in de buurt staan, lachte wanneer zij dat deden, knikte bij wat ze zeiden, maar echt met elkaar praten deden we niet veel, tenzij we in het park waren. Wat ik ook prima vond, hoor; zij waren tenslotte ouder. Het feit dat ik op school dezelfde lucht mocht inademen als zij, vond ik al heel wat.

Ze begonnen te lachen toen ik ze vertelde dat ik zenuwachtig was voor de halfpipe.

'Man! Tuurlijk ben je er bang voor. Dat is het hele punt. Zonder angst zou het niet zo'n kick geven.' Dans ogen waren wijd opengesperd, alsof hij net een dozijn Red Bulls binnen dertig seconden door een rietje gedronken had.

En Stan was al net zo druk.

'Precies. Wanneer je de halfpipe niet respecteert, dan vreet hij je op. Maar je hoeft je nergens ongerust over te maken – je hebt tenslotte de beste leermeesters van het park. Wij laten je wel zien hoe het moet.'

Ongeduldig pakte ik mijn board, bezield door hun woorden.

'Ho, ho', grote vriend', lachte Dan. 'Nu nog niet. Het is er nu nog veel te druk. Zondagochtend. Dan is het rustiger, minder hectisch. Minder kans dus dat het misgaat.'

En met een knikje en nog een pompende handdruk sprongen ze op hun boards en lieten ze me achter, de seconden aftellend naar zondag.

14

Eindelijk was het zover. Nog nooit had ik zo toegeleefd naar de zondag, maar tegelijkertijd zag ik er ook tegenop, bekroop toch ook de paranoia me weer.

Ik kon aan niets anders meer denken dan aan die eerste keer dat ik me van de helling af zou storten. Al mijn gedachten werden erdoor beheerst, zowel overdag als 's nachts in mijn slaap.

Terwijl ik ongeduldig mijn tanden poetste die zondagochtend, staarde ik in de spiegel en schrok van de wallen die onder mijn ogen hingen. Ik dacht dat niemand er vermoeider uit kon zien dan ik. Totdat ik mam zag.

Slap hing ze op haar stoel aan de keukentafel, elke centimeter van haar lichaam even uitgezakt, terwijl ze zich aan een dampende kop koffie vastklampte. Ik vroeg haar of ze zich wel goed voelde, maar moest de vraag drie keer herhalen, voordat ze me leek te horen.

'Zware week gehad op school?' vroeg ik nog een keer, terwijl ik me afvroeg of ik het misschien beter met gebarentaal kon proberen.

Ze probeerde te glimlachen, maar zonder succes. 'Nee hoor, nee hoor. Heel leuk juist allemaal. Ik geloof dat ik het langzaam een beetje door begin te krijgen.'

Het was duidelijk dat ze niet zichzelf was. Sterker nog, ze leek in niets op mijn moeder. Hier was duidelijk sprake van een persoonlijkheidsontvoering of iets dergelijks. Bijna kreeg ik de neiging om in de tuin naar sporen van een ufo te zoeken. Er moest een verklaring zijn voor wat hier aan de hand was.

Ze zag er ook zo anders uit. Alsof iemand haar twintig jaar ouder had laten lijken door haar gezicht als een stuk oud papier te verkreuken. Onzeker wreef ze over haar wangen, waarbij de rimpels heel even verdwenen, om even later weer te verschijnen.

Ik schrok er enorm van, omdat mam zich nog nooit, echt nooit door iets uit het veld had laten slaan. Die woorden kende ze niet. Wanneer iets of iemand het lef had om haar uit te dagen of te zeggen dat ze het bij het verkeerde eind had, dan vocht ze terug. Sloeg ze haar nagels uit en verhief ze, indien nodig haar stem. Ze mocht dan misschien enorm irritant zijn, aan energie of enthousiasme ontbrak het haar nooit. Zonder dat zou het haar de afgelopen acht jaar ook nooit gelukt zijn om zoveel cursussen aan de avondschool te volgen.

Wat was er dus gebeurd? Ik moest het weten.

'Weet je *zeker* dat er niets aan de hand is, mam?'

Het lukte haar zowaar om me even aan te kijken, en heel even zag ik een liefdevolle schittering in haar ogen, voordat die weer doofde.

'Lief van je, Charlie. Maar ik weet het zeker. Ik ben alleen een beetje moe, meer niet.'

'Waarom ga je dan niet terug naar bed? Ik kan je drinken naar boven brengen, als je wilt?'

Alleen het voorstel al maakte dat ik me rot voelde en ze zou het aanbod ook zeker nooit aannemen, maar het zou makkelijker zijn om er tussenuit te knijpen wanneer ze weer in bed zou liggen. Beter ook voor mijn schuldgevoel, wanneer ik niet zou hoeven liegen over waarom ik wegging.

'Misschien moet ik dat inderdaad maar doen. Een extra half uurtje kan tenslotte geen kwaad, of wel?'

'Absoluut niet', knikte ik, hoewel haar antwoord wel weer nieuwe vragen opriep, ik me opnieuw afvroeg wat er toch in vredesnaam met haar aan de hand was.

Zo zaten we nog een minuutje zwijgend bij elkaar. Ze zag eruit alsof ze in haar koffiekopje zou verdrinken, zodra ik haar alleen zou laten.

'Toe dan', fluisterde ik bemoedigend in haar oor, 'ga dan ook even terug naar bed.'

Ik liep met haar mee naar de trap en drukte de koffiekop in haar handen, terwijl ze naar boven klom.

'Ik ga even weg. Ben voor het middageten weer thuis.'

Ik zette me schrap voor de onvermijdelijke vraag *Waar ga je heen?*, maar die bleef uit. In plaats daarvan zei ze enkel, 'Oké', waarop ze de slaapkamerdeur achter zich dicht trok.

Verbaasd trok ik mijn wenkbrauwen op. Zo makkelijk kon het niet zijn. Geen vragen, geen tijdafspraak, niet eens een onderzoekende blik op mijn schuldbewuste gezicht.

Verbouwereerd vroeg ik me even af of ik mijn plannen dan toch maar af moest blazen, maar al gauw nam de opwinding over wat er stond te gebeuren weer de overhand.

Ik schudde alle andere gedachten van me af, trok mijn gymschoenen aan zonder ze los te maken en sloot zacht de voordeur achter me.

Buiten op straat keek ik nog een keer om, naar mams slaapkamerraam, en mijn hart maakte een sprongetje toen ik haar daar zag staan.

Had ze het dan toch allemaal in de gaten? Deed ze alleen alsof, om me een vals gevoel van veiligheid te geven?

Ik bestudeerde haar gezicht en mijn hart kwam weer een beetje tot rust, toen ik me realiseerde dat ze enkel afwezig in de verte stond te staren. Ze zag er zo verloren uit, dat ik bijna alsnog omgekeerd was. Maar gelukkig schuifelde ze net op dat moment weg van het raam en verdwenen ook mijn schuldgevoelens weer.

Het was mooi geweest. Nu moest ik zo snel mogelijk bij de halfpipe zien te komen, voordat ik alsnog van gedachten zou veranderen.

Dan en Stan zaten al op me te wachten, benen bungelend over de rand van het plateau, terwijl ze aan hun blikjes Red Bull lurkten. Wanneer moed een ingrediënt geweest was, dan had ik zelf meteen een paar van die blikjes achterover geslagen. Het park was namelijk helemaal niet rustig – het was afgeladen vol.

Een stuk of tien jongens schoten al heen en weer in de halfpipe, een ander groepje stond tricks te oefenen rondom het pierenbadje. Ik voelde hoe het zweet me uitbrak onder mijn capuchon en tergend over mijn ruggengraat naar beneden liep.

Mijn twee vrienden leken zich er echter niet druk om te maken; zij vonden het veel te leuk om mij voor het eerst de sprong te zien wagen.

'Geniet van deze dag', zei Stan dromerig.

'Niemand vergeet zijn eerste keer', sloot Dan zich bij hem aan. 'Wat er ook gebeurt.'

Ik kon hun opwinding nog niet echt delen; mijn maag dreigde zich elk moment om te keren. Stiekem probeerde ik de afstand tussen de halfpipe en het smerige, vervallen toiletgebouwtje verderop in te schatten.

De moed zonk me in de schoenen, maar ik mocht niets laten merken. Niet nu ik al zover gekomen was.

'Ik denk dat ik eerst nog maar even zo ga skaten. Even mijn ollie oefenen, zodat ik er een beetje in kan komen.'

'Doe dat.' En ze keken toe hoe ik met groeiend zelfvertrouwen op en neer rolde door het voormalige pierenbadje, over de golvende bodem van wat ooit mijn speelplek geweest was. Maar wat, vergeleken met de monsterlijk hoge halfpipe, niets voorstelde natuurlijk.

Langzaam verdween de angst een beetje. Terwijl mijn momentum toenam en het board gehoorzaam onder mijn voeten bleef zitten, hield ik mezelf voor dat ik inmiddels echt wel wat kon, dus waarom zou ik de halfpipe nu niet proberen? Wanneer vallen het ergste was wat er kon gebeuren, nou ja, dat was me inmiddels al wel honderd keer overkomen en ik leefde nog steeds. Kon nog steeds lopen.

Ja, dit was het moment. Het was tijd.

Dan en Stan klapten opgewonden in hun handen toen we bovenaan de halfpipe stonden, neerkijkend op de steil aflopende helling. 'Dit is het, kleintje. Hierna zal je leven nooit meer hetzelfde zijn', grijnsde Dan.

'En onthoud wat we gezegd hebben, probeer vooral nog geen tricks te doen. Waar het nu om gaat, is overeind blijven en genieten van de snelheid. Hou je knieën licht gebogen, gebruik je armen voor balans… en ga ervoor.'

Daar stond ik. Waren het eerder nog alleen de angst en de opwinding, inmiddels gierden alle mogelijke emoties door mijn lijf. Nerveus duwde ik de voorkant van mijn board over de rand, mijn voet op de achterkant, zodat ik nog rechtop bleef. Mijn ogen concentreerden zich op de helling, wachtend op een rustig moment…

Dat even later kwam, een vrije baan: het was nu of nooit. De dood of de gladiolen.

Ik oefende druk uit op de neus van het board en leunde vol goede moed naar voren. Ik voelde de ondergrond verdwijnen, veel sneller dan me lief was, en even sloeg de paniek weer toe. Ik viel en in een reflex duwde ik mijn gewicht alleen nog maar verder naar voren, voelde hoe mijn maag zich dreigde om te draaien, terwijl de muur van de halfpipe mijn wieltjes greep en me voortstuwde. Voordat ik er erg in had klom ik alweer; voor het eerst, de wieltjes ratelden en een vreemde, opgewonden en tegelijkertijd doodsbange kreet ontsnapte aan mijn lippen. Ik wist niet of de anderen het ook gehoord hadden, maar het kon me ook niet schelen.

Ik deed het. Had het voor elkaar. Ik vloog. Vergeten was iedere belediging, iedere losse ellenboog, iedere *Walk of Shame* waaraan ik ooit blootgesteld was. Niets van dat alles deed er nog wat toe nu ik dit had. Helemaal niets.

Ik dacht aan de tasjes met paps eten, die mij urenlang in balans gehouden hadden, voelde vaag nog elke blauwe plek die ik tijdens het oefenen opgelopen had.

Blijf gefocust, zei ik tegen mezelf. *Concentreren, hou je evenwicht, concentreren. Verknal het nou niet.*

En ook dacht ik aan mam, aan het schuldgevoel dat ik had, omdat ik dit allemaal voor haar verborgen gehouden had. Hoe dat allemaal nu verleden tijd was. Ik zou alles opbiechten en het haar laten zien. Haar laten zien dat ze trots kon zijn in plaats van bang. Dit was wat ik kon. Kijk dan!

Elke bocht werd belangrijker dan die ervoor. Elk beetje druk dat ik op het achtereind van het board zette om te kunnen draaien, was afgemeten, precies, alles behalve onhandig.

Op dat moment had ik graag een camera gehad, iets om dit moment mee vast te leggen, het moment waarop ik tot koning van de wereld gekroond werd.

En iemand *was* ook aan het filmen, zo bleek – niet voor later of voor de eer, maar om mijn ultieme vernedering nog wat groter te maken.

Terwijl ik me voor de zoveelste keer naar beneden liet vallen, zag ik iets onder mij.

Iets, wat daar niet thuishoorde.

Een andere skater was het niet: geen spoor van een hoodie of baggy jeans.

En er was al helemaal geen skateboard te bekennen.

Het was mijn moeder.

Met haar handen op haar heupen en een gezicht als een donderbui.

Mijn hart stopte en mijn skateboard denderde verder, maar niet voor lang. De boodschap was duidelijk en bestond uit twee eenvoudige woorden. GAME OVER.

15

Ik durfde mijn ogen niet te openen.

Niet omdat ik bang was ik dat ik iets gebroken had.

Nee, de angst werd veroorzaakt door het laatste wat ik gezien had voordat mijn wegen en die van het skateboard zich gescheiden hadden.

Geen idee waar ze zo snel vandaan gekomen was of hoe ze erachter gekomen was – het enige wat ik wist was dat het toch echt mijn moeder was, die hier nu boven mij uittorende. Ik voelde gewoon de woede die ze uitstraalde.

Snel sprong ik overeind, ergens diep vanbinnen nog hopend dat als ik zou doen alsof zo'n val niets voorstelde, ze skating misschien toch niet als een vorm van Russisch roulette zou zien.

Maar één blik op haar vuurspuwende ogen was genoeg om te beseffen dat ik het wel kon vergeten.

Ik zou er flink van langs krijgen, dat was zeker.

'Charlie Han!' brulde ze, waarmee ze het hele skatepark binnen twee seconden stil had. 'Waar dacht jij IN VREDESNAAM mee bezig te zijn?'

'O, gewoon, een beetje chillen...' Nog voor het eind van de zin was ik al door mijn leugens heen en dus probeerde ik het in plaats daarvan maar met het spelen van de toegewijde zoon. 'Ik heb je toch hopelijk niet geraakt, of wel? Voordat ik zo knullig viel...'

'Je hebt haar niet aangeraakt, jongen', viel Stan achter mij me in de rede. 'Je maakte een of andere vreemde eskimo-rol om haar te ontwijken. Stoerste actie die ik ooit gezien heb. Zeker zonder helm.'

Mam wierp hem een dodelijke blik toe, voordat ze er nog een schepje bovenop deed en mij weer aankeek.

'Wat doe jij hier?' waagde ik het nu toch maar te vragen. 'Je was weer naar bed gegaan. Dat is waar je nu zou moeten zijn. Je bent waarschijnlijk hartstikke ziek. Inclusief hallucineren en zo…' Ik ratelde onzin en besefte het maar al te goed.

'O, ik weet heel goed wat ik zie. Hoewel ik het liever gedroomd had, geloof me. Ik kon niet slapen. Dacht dat een wandelingetje zou helpen. Laat maar weer eens zien hoe een mens zich kan vergissen, nietwaar?'

Ik zag hoe ze vergeefs probeerde haar woede te beheersen. De aderen in haar nek puilden uit. Plotseling leek ze niet meer zo vermoeid.

'Dus? Ga je me nou nog vertellen wat hier aan de hand is?' bitste ze.

Ik voelde hoe iedereen zich om ons heen begon te verzamelen, ze roken bloed. Bijna verwachtte ik dat er elk moment 'vechten, vechten, vechten' geroepen zou gaan worden. Maar dat gebeurde niet. Iedereen was duidelijk net zo bang als ik.

'Er is helemaal niets aan de hand. Ik hang hier gewoon wat rond. Een beetje skateboarden, meer niet.'

Mijn meest nonchalante stemgeluid bleek niet overtuigend, ik klonk eerder hoog genoeg om elke hond in het park te lokken.

'Meer niet?' riep ze, nog vinniger nu. 'Meer NIET? Ben je wel helemaal goed bij je hoofd? Hoe lang is dit al aan de gang en waarom heb je mij er in vredesnaam nooit iets over verteld?'

Ik begon een beetje in paniek te raken, wat was hier het juiste antwoord?

Moest ik liegen en zeggen dat dit de eerste keer was dat ik het geprobeerd had? Of me van de domme houden en beweren dat ik mijn geheugen bij de val verloren was? Welk antwoord zou me behoeden voor een vernedering in het bijzijn van de mensen op wie ik juist zo graag een goede indruk had willen maken?

Mijn hersens vormden al een ingewikkelde leugen vol toevalligheden, maar op het laatste moment werd ik door mijn mond verraden, gooide ik er de waarheid uit in de vorm van één slappe, ratelende spijtbetuiging.

'Eenpaarmaandennuikwildehetjevertellenmaarwasbangdatjehetzouverbiedenenikvindhetzogeweldigomtedoenenikbenerooknogeensheelgoedinvraagdeanderenmaardiezullenallemaalhetzelfdezeggen.'

Het klonk belachelijk, als het verontschuldigende gejammer van een puppy die zojuist op het tapijt gepoept heeft en vervolgens de leren sloffen van zijn baasje aan flarden gescheurd heeft.

Al mijn geloofwaardigheid, alle hoop vervlogen. Machteloos keek ik toe hoe het allemaal nog veel sneller verdween dan dat ik nodig gehad had om het op te bouwen.

Maar mam kon het allemaal niets schelen. Zij wilde helemaal niet weten wat Stan of Dan dachten en bovendien waren die te stomverbaasd, of te bang, om het haar te vertellen.

'Dus toen besloot je om het gewoon maar stiekem te doen? Maandenlang heb je tegen me gelogen. En waar heb je dit *ding* vandaan?' vroeg ze, vol afschuw wijzend naar mijn skateboard. 'Gestolen, soms?'

'Natuurlijk heb ik het niet gestolen. Zoiets zou ik toch nooit doen?'

'Ik weet niet waartoe jij allemaal in staat bent, Charlie. Niet meer, tenminste.'

'Ik heb hem geleend, van Bunion.' Ik zag hoe ze misprijzend met haar ogen rolde. 'Maar ik heb ook gespaard om nieuwe onderdelen te kopen, van alle fooien die ik kreeg tijdens het rondbrengen van de bestellingen.'

Dit was niet wat ze wilde horen: het deed mijn leugens blijkbaar alleen nog maar erger en moedwilliger lijken.

'Dus al die tijd was je dit al van plan? Jij en je vader. Mij proberen te ondermijnen, terwijl ik alleen maar voor jullie wil zorgen en jullie probeer te beschermen.'

De jongens waren nog wat dichter om ons heen komen staan, hun ogen schoten van de een naar de ander, alsof ze naar een tenniswedstrijd stonden te kijken. Af en toe meende ik iemand naar adem te horen snakken bij wat er gezegd werd.

'Mij beschermen? Ik mag nooit iets van jou! Ik ben nog nooit wezen bowlen of met vrienden een stuk wezen fietsen. Ik mocht niet eens met Sinus naar de bioscoop, omdat je bang was dat ik in het donker in een stukje popcorn zou stikken en niemand het in de gaten zou hebben.'

'Dat is jaren ge...'

Achter mij begon een jongen te gniffelen, maar zodra we omkeken vermande hij zich snel.

'En waag het niet om pap hierbij te betrekken', riep ik. 'Die heeft geen idee van wat er aan de hand is. Wanneer dat wel zo was, dan was hij allang naar jou toegekomen, omdat hij ook wel weet hoe VRESELIJK jij bent!'

Het leek alsof ze nu elk moment kon ontploffen en ik merkte hoe iedereen voor de zekerheid een stapje achteruit deed.

'O, dus ik ben vreselijk? Ik zal je eens vertellen wat vreselijk is. Vreselijk zou het zijn wanneer jij van dat onding daar af zou vallen en gewond zou raken. Wanneer ik naast je bed zou moeten zitten wachten tot je misschien weer bij zou komen, allemaal omdat je ons niet durfde te vertellen waar je mee bezig was, dat zou pas vreselijk zijn.'

Ze nam niet eens pauze om adem te halen; alsof ze kieuwen had.

'Maar één ding zal ik je zeggen, jongeman, je mag dan wel denken dat je nooit iets mag van mij...'

'Dat is ook zo. Het liefst zou je me in watten pakken!'

'Wacht maar. Ik ga jou in zoveel watten pakken, dat je je niet meer zult kunnen bewegen!'

En met een enkele duw manoeuvreerde ze me richting de menigte, die zwijgend uit elkaar ging, alle ogen op ons tweeën gericht.

Ik liet mijn hoofd hangen, voelde de ultieme vernedering toen ze ook nog eens het board uit mijn handen rukte om het zelf te dragen.

De stilte was oorverdovend, het enige wat ik hoorde was het bonken van mijn eigen hart.

We liepen nog een paar meter door, voordat de stilte werd verbroken.

Verbroken door het brullende gelach vanaf de halfpipe, dat als een lawine op ons af denderde en mij binnen enkele seconden bedolf.

Binnen één minuut weer van held naar loser. Mijn vernedering was compleet.

16

Het leven was zwaar in de gevangenis.

Denk Alcatraz met hogere muren of Shawshank met nog harder brullende bewakers.

Zodra we thuis waren, werd nog eens goed duidelijk gemaakt wat de regels waren. Ook pap kreeg er flink van langs, ook al hoorde hij het nu allemaal voor het eerst.

Een paar keer probeerde hij de keuken weer in te vluchten, om meteen door mam tegengehouden te worden. Dreigend stond ze voor ons. Ik verwachtte half en half dat we onze zakken moesten legen op de balie of dat we ontluisd zouden worden, voordat we ook maar weer in de buurt van de keuken mochten komen.

Misschien klinkt het nu alsof ik er een grapje van maak, en vermoedelijk is dat ook wel zo. Een poging om toch nog een beetje humor te zien in dat donkerste moment van mijn toch al behoorlijk bewolkte bestaan.

Zo stonden we daar nog zo'n vijftien minuten. Pap was waarschijnlijk blij dat het restaurant nog niet open was. Door je vrouw op het matje geroepen worden in het bijzijn van je vaste klanten zou wel een hele erge vernedering geweest zijn.

Ten slotte, toen de tranen het leken te winnen van de woede, en nadat ze me huisarrest gegeven had voor wat de rest van mijn leven leek, stormde mam naar boven. Gespannen wachtte ik op de reactie van mijn vader.

Die stond nog altijd met het hakmes in zijn handen.

En hoe goed ik hem en zijn vreedzame karakter ook kende, ik voelde ik me nu toch een beetje nerveus worden.

Maar hij bleek minder woedend dan zij – eerder verrast en teleurgesteld, wat eigenlijk nog vervelender voelde. Hoofdschuddend stond hij daar, terwijl ik hem steeds opnieuw uitlegde waar ze me gevonden had. Ik had hem zelden zo levendig gezien.

'Niet iets om trots op te zijn, zoon.'

'Ik weet het, maar ze gaf me ook niet echt veel keus, of wel?'

'Ze wil alleen maar het beste voor je…'

'Waag het niet om te zeggen wat je nu wilt gaan zeggen', viel ik hem in de rede.

Verbaasd keek hij me aan.

'Kom niet weer met je standaard *ze is je moeder* zinnetje. Niet vandaag, pap.'

'Wat wil je dan dat ik zeg?'

'Zeg dat je met haar gaat praten. Vertel haar dat ik alleen maar doe wat iedereen van mij leeftijd doet. Vertel haar dat ze zich aanstelt, dat ze me de ruimte moet geven om volwassen te worden. Dat ze me mijn eigen dingen moet laten doen, zonder dat ze altijd met een kussen achter me aan rent voor het geval dat ik val.'

Het was waarschijnlijk meer dan ik in maanden tegen pap gezegd had en het was zeker het meest eerlijke. Hij was de enige die nog een beetje invloed op mam en haar continue bemoeienissen zou kunnen uitoefenen. De enige naar wie ze misschien nog een beetje zou luisteren.

Ik keek toe hoe hij mijn woorden op zich liet inwerken, zag hoe hij zijn voorhoofd fronste, terwijl hij nadacht over hoe hij zou kunnen helpen. Misschien was dit dan het moment dat hij de stap zou nemen en eindelijk mijn kant zou kiezen. Al was het maar voor deze ene keer. Meer vroeg ik niet.

'Ik kan er ook niets aan doen', zuchtte hij, terwijl hij met zijn wijsvinger over het lemmet van het hakmes streek.

'Is dat alles? Is dat alles waartoe je in staat bent? Kun je nu niet voor één keer eens op je strepen staan en mij hierbij helpen? Ik zal alles voor je doen, pap, maar doe nou ook eens iets voor mij, oké?'

'Ik geloof niet dat jij op het moment in de positie bent om om een gunst te vragen. Noch aan mij, noch aan je moeder.'

'Maar zie je het dan niet? Zie je dan niet wat ze met me doet? Dankzij haar lacht iedereen me uit. En het wordt alleen maar erger. Ik kan nergens heen, kan niets doen zonder dat zij er bovenop zit. Dat is niet oké, pap – zij is niet oké.'

'Ze heeft zo haar redenen, weet j...'

'O, ja? Echt waar? Dan moet je me maar eens gauw vertellen wat die redenen zijn, want ik heb echt geen idee waarom ze altijd zo moet doen.'

Maar het had geen nut. Ik kreeg toch geen antwoord. Ondanks de gespannen situatie, ondanks de uitbrander. Mij leek dit juist het aangewezen moment om eindelijk eens te weten te komen wat er nu precies aan de hand was. Maar voor hen was ik nu even persona non grata.

Binnen tien seconden was pap alweer even gesloten als altijd.

'Nou, je zult genoeg tijd hebben om erachter te komen, nietwaar? Nu je toch huisarrest hebt.'

En daarmee was de kous af. Weg schuifelde hij weer, terug naar de veiligheid van zijn keuken, maar niet voordat hij nog even een lange, ongeruste blik naar boven geworpen had, waar mam nu of lag te koken van woede, of lag te huilen.

Ik wist niet wat erger zou zijn.

De duur van mijn huisarrest was vaag.

Voor onbepaalde tijd.

Zonder kans op vervroegde vrijlating, geen tv, geen internet of privébezoek totdat ik mijn lesje geleerd had of dertig geworden was. Net wat eerder kwam.

Ik zag mezelf al voor me als volwassene, zittend achter de balie van Passie voor Nasi in een door mam gebreide trui, nog altijd bestellingen aannemend, nog altijd rondjes fietsend op het nijlpaard, gekleed in fluorescerende kleding, die inmiddels totaal niet meer reflecteerde.

Wanneer het aan mijn moeder lag, zou ik een lang, saai en overbeschermd leven tegemoet gaan. Ook al zou ik misschien wel honderdvijftig jaar oud worden, mijn comfortzone zou ik niet meer uit komen.

Elke dag leek wel tien jaar te duren.

In mijn hoofd liet ik keer op keer de gebeurtenissen van de afgelopen paar maanden de revue passeren, maar hoeveel verschillende manieren ik ook verzon om mam eerlijk over het skaten te vertellen, het zou niets uitgemaakt hebben. Ze zou het gewoon nooit goed gevonden hebben.

Die conclusie had me natuurlijk kunnen troosten: ze had me dus als het ware *gedwongen* om te liegen, maar het hielp niets. Ik was verbannen naar mijn kamer en mijn skateboard was opgeborgen op een geheime plek. Wanneer ze het niet al verbrand had tenminste, of in beton gegoten en in de Noordzee gedumpt.

Maar het allerergste was, dat mam de straf nog steeds niet genoeg leek te vinden. Haar overbezorgdheid werd zo mogelijk alleen nog maar groter.

'Vanaf nu gaan er wat dingen veranderen', kondigde ze aan. 'Totdat ik je weer kan vertrouwen, ga jij niet meer alleen naar school.'

Mijn maag draaide zich om. 'Wat? Je maakt een grapje, zeker.'

'Zie je me lachen?'

Nee, natuurlijk zag ik dat niet.

'Maar Sinus dan?' vroeg ik, hoewel we al weken niet meer samen naar school gelopen waren. 'Wij wachten altijd op elkaar.'

'Aangezien je dat levensgevaarlijke skateboard van een van zijn familieleden geleend hebt, kan ik alleen maar concluderen dat ook zij er geen moeite mee hebben om mij te misleiden. En dus wil ik niet dat je nog met hem omgaat.'

'Dus pap brengt me voortaan naar school?'

Ze wiebelde veelbetekenend met haar wijsvinger. 'Nee. Daar heeft je vader het veel te druk voor en bovendien, je weet hoe

makkelijk hij om te praten is. Nee, ik zal je zelf elke dag weg-
brengen en weer oppikken. Om 15.40 wacht ik op je op de
lerarenparkeerplaats.'
'Maar dat is op het schoolterrein', protesteerde ik. 'Dan ziet
iedereen je. Ze zullen me allemaal uitlachen.'
'Dan weet je ook eens hoe *ik* me voel. Dan begrijp je misschien eindelijk hoe vernederd ik me voel.' Met een kille blik
keek ze me aan. 'Misschien dat ik je ooit weer ga vertrouwen, Charlie, maar dat vertrouwen zul je dan wel moeten
verdienen.'
'Dus wanneer ik me goed gedraag, mag ik op een gegeven
moment weer terug naar de halfpipe?'
Met een harde klap liet ze haar hand op de balie terechtkomen,
het hele gebouw leek op zijn grondvesten te trillen.
'NEE! Jij zet geen voet meer in dat skatepark. Niet als je mij te
vriend wilt houden, tenminste. Is dat duidelijk?'
Ik knikte, de pijn van haar straf was erger dan die van welke val
ook.

Eén ding moest je mijn moeder nageven: wanneer ze iets beloofde, dan hield ze zich daar ook aan en dus waren de twee
daaropvolgende weken op school een hel. Elke dag bracht en
haalde ze me, waarbij ze steeds dichter bij school parkeerde, voor
het geval dat ik toch nog langs haar heen zou proberen te glip-
pen. De andere kinderen ontging dit natuurlijk niet – ze lachten,
wezen en beukten op het autodak terwijl ik instapte. Ik was bang
dat ze ons zouden insluiten, tegen de auto aan zouden duwen,
net zolang totdat die zou omvallen.
Goed, een beetje paranoïde misschien. Maar stel je eens voor hoe
jij je zou voelen als je zo vernederd zou worden.
En geheel onterecht bleek mijn paranoia toch niet te zijn.
Al gauw ging het voorval op de halfpipe als een lopend vuur-
tje rond. Kinderen riepen me na wanneer ik langsliep, anderen
bogen zich over hun mobiele telefoons, hun schouders schuddend van het lachen. Eerst had ik nog niet zo door wat er aan de

hand was, totdat een enorm uit de kluiten gewassen jongen uit de vierde klas het me liet zien.

'Jongen, die moeder van jou is BRUUT', lachte hij. 'Iemand heeft haar gefilmd, terwijl ze jou te grazen nam op de halfpipe. Wat een monster is dat!'

Ik griste de telefoon zo beleefd als ik maar kon uit zijn handen; wilde eigenlijk helemaal niet kijken, maar wist ook dat ik geen keus had.

En daar waren we. Mam die nog erger tegen me tekeerging dan ik me herinnerde. De geluidskwaliteit was niet geweldig, maar boven het misvormde geluid van het gejoel van de anderen uit kon je haar nog steeds horen schelden. Waarvan ik echter nog het meest schrok, was de felle blik in mijn moeders ogen. Ze had geen idee dat de skaters haar net zo goed stonden uit te lachen als mij. Zo overmand was ze door haar eigen woede, dat ze geen idee had dat tientallen telefoontjes elk woord dat ze zei filmden.

Het liefst was ik door de grond gezakt.

Hoeveel anderen hadden dit filmpje al gezien, of zelfs hun eigen versie opgenomen vanuit een andere hoek?

Hoe lang zou het nog duren voordat ik de volgende *Walk of Shame* mocht doen? Alleen bij de gedachte al begonnen mijn scheenbenen nerveus te kloppen.

Hoe kwam het dat, toen het zo goed ging met het skaten, niemand op school er iets van in de gaten had? Toen was ik nog min of meer anoniem. Maar zodra het allemaal misging, was iedereen opeens op de hoogte. Het was te oneerlijk allemaal.

Ik was weer terug bij af; erger nog zelfs, omdat ik nu ook Sinus niet meer aan mijn zijde had. Ik zag hem staan toen het gelach me door de gangen achtervolgde, afzijdig van de rest, toekijkend hoe de anderen me afmaakten. Hoewel hij niet gelachen had, was hij ook niet naar me toe gekomen, om me te vertellen dat het allemaal wel los zou lopen, of om me alsnog uit te lachen. Dat zou me in ieder geval nog het gevoel gegeven hebben dat we ooit weer vrienden zouden kunnen zijn.

Dit was een nieuw dieptepunt.

Erger dan dit kon niet.

Zelfs een professionele limbodanser had niet lager kunnen zinken.

En zal ik je wat vertellen?

Het zou allemaal nog erger worden.

17

Het begon met een sms'je met goed nieuws.

Ik heb een examen vanavond, kan je dus niet komen halen. Je zult naar huis moeten lopen. KOM NIET IN DE BUURT VAN HET PARK. *Ik reken op je. Mam.*

Het was het beste nieuws in weken, maar ook nogal verrassend, gezien het strenge toezicht van de laatste tijd. Ik snapte niets van die nieuwe cursus van haar. Tot nu toe had ze haar lessen altijd op vaste dagen gehad, altijd 's avonds, maar deze cursus leek onvoorspelbaar te zijn, geen pijl op te trekken.

Ik vroeg me af of ze het misschien expres deed, zodat mijn paranoianiveau zo hoog zou blijven, dat ik het niet zou wagen om in de buurt van de halfpipe te komen, uit angst dat ze me weer zou betrappen.

Wat haar redenen echter ook mochten zijn, mij hoorde je niet klagen. Een dag zonder van school opgehaald te worden was een zegen, ook al betekende het dat ik alleen naar huis moest lopen.

Maar terwijl de middaglessen langzaam voorbijkropen, begon het vanbinnen toch te kriebelen en kon ik het skatepark steeds moeilijker uit mijn hoofd zetten. Ik had het niet meer gezien, of er ook maar een voet gezet sinds de ruzie met mam, en plotseling, met dit snippertje vrijheid in het vooruitzicht, kon ik aan niets anders meer denken.

Eerst hield ik me nog sterk, hield mezelf voor dat ik gewoon naar huis zou lopen, zoals ze me opgedragen had. Ik had tenslotte toch geen skateboard meer. En zelfs toen ik het schoolplein af liep, was ik nog steeds van plan om rustig naar huis toe te slenteren. Totdat ik Dan en Stan tegen het lijf liep.

'Grote vriend!' brulde Stan, ook al stond hij op slechts een meter afstand. 'Waar zat jij verstopt?'

'Verstopt? Mocht ik willen', antwoordde ik. 'Iedereen lijkt tegenwoordig een foto van me op zijn telefoon te hebben. Of wist je dat nog niet?'

'Trek je er niet teveel van aan', zei Dan. 'Het waait vanzelf wel weer over. Helemaal, wanneer je weer eens naar de halfpipe komt. Wanneer je ze weer laat zien wat je kunt. Laat ze maar een poepje ruiken.'

Behoedzaam keek ik ze aan, twijfelend over hun oprechtheid. 'Denk je?'

'Zeker weten', echoden ze in koor.

'Iedereen weet dat je het kan. Eén keertje zonder je moeder erbij en dat is het. Dan is al het andere meteen weer vergeten…'

Mijn gevoel zei me dat ik met ze mee moest gaan. Mijn goede voornemens smolten als sneeuw voor de zon.

'Maar ik heb geen skateboard meer.'

Het bleek geen geldig argument. Ze leken er juist nog vastberadener door te worden, smeekten me bijna om mee te komen.

'Jongen, je kunt er vast wel één van iemand lenen. Ze gaan allemaal zo blij zijn om je weer te zien.'

'Volg ons maar gewoon. Tegen de tijd dat je er bent, hebben wij een board voor je geregeld. En een welkomstfeestje, wanneer je geluk hebt.'

Het was alles wat ik wilde horen. Alles. En de woorden klonken zo luid in mijn hoofd, dat ze mam overstemden. Er was nog maar één plek waar ik naartoe wilde, en het was zeker niet naar huis.

Het was geweldig om de halfpipe weer te zien, even hoog en imposant als altijd. Maar ergens deed het ook pijn, herinnerde het me aan hoe erg ik niet alleen het skaten gemist had, maar ook de acceptatie die ik altijd gevoeld had in het park.

Het was er druk, zoals altijd na schooltijd, overal om me heen schoten skaters voorbij. Mijn oren vulden zich met het geratel van de wieltjes op het asfalt, het gejoel en gejuich wanneer iemand weer een gevaarlijke stunt overleefd had.

En het enige wat ik kon denken was: *dat had ik kunnen zijn. Misschien dat het nog steeds mogelijk is?*

Ik leunde over het hek, mijn lichaamstaal die van een verliefde idioot, of van een dromerig starende Sinus voor een pas gebouwde muur. Verderop werd geroepen. Dan, die me lachend wenkte.

'Waar bleef je nou?' grijnsde hij, terwijl ik onhandig het hek door liep, ondertussen steels om me heen kijkend, bang dat mijn moeder misschien toch ergens achter de struiken verstopt zou zitten.

'Je kent Harry, toch?' Hij wees naar een jongen naast hem, met een pet op zijn hoofd, waarvan de grote klep zijn halve gezicht bedekte. Toch kon ik zien dat ook hij breed grijnsde.

'Charlie! Waar zat je nou al die tijd, kerel?'

'Huisarrest', kreunde ik, hopend dat ik niet teveel klonk als een jammerend klein kind.

'Wat? Al die tijd? Het is al weken geleden. Wanneer mag je weer komen van je moeder?'

'Geen idee. Dat kan nog wel maanden duren. Jaren zelfs. Waarschijnlijk wanneer ik werk vind en het huis uitga.'

Ik zag dat er inmiddels nog meer mensen bij Dan en Harry waren komen staan. Stan, natuurlijk, maar ook wat andere jongens die er ook tijdens die fatale dag geweest waren. Ik was geschokt maar ook blij dat ze het blijkbaar fijn vonden om me weer te zien.

'Die moeder van jou is wreed', zei Stan, die vandaag een keer geen poging deed om me de hand te schudden. 'Sinds wanneer is ze zo geschift?'

Ik haalde mijn schouders op, hoewel het raar voelde om iemand anders, behalve ikzelf, zo lelijk over haar te horen praten.

'Nog nooit zoiets grappigs gezien', zei iemand.

'Ze zou mee moeten doen aan een van die realityshows, *Engelands meest idiote vrouwen* of zoiets.'

Plotseling was mam het gesprek van de dag en het onderwerp van allerlei grappen en beledigingen binnen de groep, die nog altijd in grootte toenam. Er stonden inmiddels een stuk of twintig jongens om me heen, waardoor ik me alleen nog maar ongemakkelijker ging voelen.

'Weet niet wat ik zou doen als ik zo'n moeder zou hebben...'

'Ik zou er vandoor gaan. Mezelf laten adopteren...'

'Bij m'n oma gaan wonen...'

Het voelde als tijd om te gaan, ik had genoeg gehoord, maar toen ik me omdraaide, merkte ik dat ik omsingeld was.

Ik probeerde om niet in paniek te raken, vooral omdat ze allemaal nog steeds naar me glimlachten. Maar het waren geen vrolijke glimlachjes. Het waren 'er is iets aan de hand'-glimlachjes. Glimlachjes die ik al vaker gezien had, vlak voordat ze me te grazen genomen hadden. Voordat ik tussen hen door had moeten lopen, terwijl hun benen naar me uitgehaald hadden.

'De jongens en ik vonden het heel naar wat er gebeurd was', grijnsde Dan, duidelijk met zichzelf in zijn nopjes. 'Via via hoorden we dat je moeder je board verbrand had. En dus hebben we wat dingen voor je. Dingen waar je wat aan hebt. Waardoor je weer aan de slag kunt en tegelijk je moeder tevreden kunt houden.'

Het beviel me allemaal helemaal niet, ook de leugens niet die ze vertelden. Mijn moeder mocht mijn skateboard dan misschien verstopt hebben, verbrand zou ze het zeker niet hebben. Echt niet.

Om me heen werd gegniffeld.

'Het eerste', zei Stan, 'is dit.'

En vanuit de groep verscheen een skateboard. Nou ja, een plank eigenlijk. Een lelijke, beschadigde, houten plank, zonder wieltjes, en met al helemaal geen mooi design erop geschilderd. Zelfs met heel veel geld en weken werk zou het nog niet in de buurt kunnen komen van het board dat ik had. Ik wist niet hoe ik moest reageren. Een ondankbare blik en het zou zo weer allemaal van voren af aan kunnen beginnen. En dus haalde ik diep adem en probeerde verheugd te kijken.

'Wauw. Ik weet niet wat ik moet zeggen. Echt. Bedankt. Ik zal hem meteen mee naar huis nemen. Eraan gaan...'

'Maar dit zorgt wel voor een probleem', viel Dan me in de rede, bijna slap van de lach, 'want we moeten natuurlijk ook aan je moeder denken. Omdat zij zo graag wil dat je veilig bent. En dus hebben we lang nagedacht en iets bijzonders bedacht.'

O, o. Ik hield mijn hart vast.

'Wat?'

Stan deed een stap naar voren en sloeg een arm om mijn schouder, waarbij hij me een beetje te stevig vastpakte naar mijn zin.

'We hebben ons laten inspireren door je moeder. Het verdient niet echt een schoonheidsprijs, maar we denken dat ze het wel zal kunnen waarderen. Zij had het immers over jou in watten verpakken, weet je nog?'

Ik knikte, me heel goed bewust van het feit dat ik degene geweest was, die over watten begonnen was. Instinctief probeerde ik een stap achteruit te doen, maar botste meteen op de menigte achter me. Ik was heel wat dreigende situaties gewend, maar dit had ik zelfs nog nooit meegemaakt.

'Maar ja, dat zou nooit gewerkt hebben. Ironisch genoeg zouden watten namelijk meteen scheuren, zodra je zou vallen. Maar onze oplossing? Absoluut veilig.'

En met die woorden verdween de zon, terwijl een leger van ledematen me tegen de grond drukte.

Het enige wat ik nog hoorde was gejoel en het geluid van tape dat van een rol getrokken wordt.

Wat er ook gebeurde, ik betwijfelde of het snel voorbij zou zijn. En het beloofde zeker weinig goeds.

18

Vechten had natuurlijk geen enkele zin, ik had ook echt niet de illusie dat ik ze van me af kon krijgen, maar dat weerhield me er niet van om het tenminste te proberen.

Ik werd gedreven door pure doodsangst: wat had ik anders moeten doen?

Maar het waren er teveel die me tegen de grond gepind hielden, ik kon amper een vinger bewegen, laat staan een arm of een been, dus na een intense worsteling, die werkelijk helemaal niets opleverde, gaf ik het maar op, concentreerde ik me in plaats daarvan op het tegenhouden van de tranen, die nu dreigden te ontsnappen. Hoe ver zouden ze gaan? Ze zouden me toch niet helemaal uitkleden, of wel? Dit keer kon ik zelfs niet hopen op een leraar die tussenbeide zou komen.

Niet dat ze me pijn deden of nare opmerkingen maakten, het enige wat ze deden was lachen, terwijl ze mijn benen wikkelden in iets, wat ik door alle lichamen niet kon zien. Ik probeerde mijn hoofd op te tillen om te kijken, maar ze lieten het niet toe. In plaats daarvan bewogen ze zich verder naar boven, richting mijn borst en armen, en blinddoekten me.

Ik merkte dat ik gewoon begon te verlangen naar een ouderwetse *Walk of Shame*. Dan wist je tenminste nog wanneer het klaar was.

Het enige wat ik nu wist, was dat ik het smoorheet had, dat zij de grootste lol hadden, en dat ik hoopte dat het zo snel mogelijk voorbij zou zijn.

Het geluid van het afscheuren van tape werd steeds luider, totdat ik het zo oorverdovend hard hoorde in mijn hoofd, dat ik bang was dat mijn trommelvliezen zouden scheuren. Ik voelde hoe er iets heets en verstikkends rondom mijn hoofd geplakt werd, het geluid nu zo luid dat ik bang was dat ik van mijn stokje zou gaan. Ik probeerde met mijn hoofd heen en weer te schudden, maar een octopus van armen hield me tegen totdat al gauw de enige nog onbedekte stukjes van mijn hoofd mijn oren, neus en mond waren.

Er klonk nog één gedempte kreet van opwinding toen eindelijk het laatste stuk tape afgescheurd werd, en een voor een deden ze een stap achteruit, waardoor ik eindelijk weer zonlicht zag.

Toen begon het lachen en het wijzen: telefoontjes werden tevoorschijn gehaald om foto's te maken. Ik was het middelpunt van de aandacht – precies zoals ik dat altijd gewild had. Maar het was duidelijk dat ik voor gek stond en ik vond het vreselijk.

Wat was het toch, waar ze me in gewikkeld hadden? Ik probeerde mijn armen voor mijn gezicht te tillen, maar dat bleek onmogelijk. Die waren stevig tegen mijn zij aan getapet.

Ik leek wel gemummificeerd: mijn voeten, benen, borst en handen, alles was omwikkeld, maar met wat? Ze leken er zelfs een soort helm van gemaakt te hebben, mijn hoofd begon al behoorlijk zweterig te worden.

Was het huishoudfolie? Het voelde wel plasticachtig, maar met de golven van paniek en schaamte die me overvielen, durfde ik het niet met zekerheid te zeggen.

Ik worstelde om overeind te komen, maar vergeefs. Mijn knieën wilden niet buigen en aan mijn armen had ik niets. In plaats daarvan rolde ik dus maar, tenminste, dat probeerde ik, maar zelfs dat kostte de grootste moeite. Nadat ik wat heen en weer geschommeld had, voelde ik hoe ik eindelijk helemaal omrolde op mijn buik, als een soort menselijke duizendpoot. Overal om me heen hoorde ik honderden kleine plop-geluidjes. Een nieuwe lachgolf rolde over mijn hoofd, en op dat moment drong het eindelijk tot me door wat ze met me gedaan hadden.

Bubbeltjesplastic.

Ze hadden me ingepakt in bubbeltjesplastic.

'Ja, ja, heel grappig. Maar nu mogen jullie het er wel weer afhalen, oké?' smeekte ik met een mond vol zand.

Hun antwoord bestond opnieuw uit gelach.

Weer probeerde ik op te staan, mijn knieën te buigen. Een nieuw salvo van plop-plop-plop volgde, alsof er rotjes afgestoken werden rondom mijn voeten. De anderen moesten nu zo hard lachen, dat ze amper nog overeind konden blijven staan.

'Echt ontzettend grappig', hijgde ik, in een poging om mee te lachen. 'Bubbeltjesplastic, ik snap het, echt. Maar haal het er nu alsjeblieft weer af – ik stik bijna!'

Ik zag Dan en Stan staan en smeekte hen met mijn ogen om er een eind aan de maken, maar ook aan hen had ik niets; tranen van het lachen rolden over hun grijnzende gezichten.

Terwijl de woede langzaam bezit van me nam, probeerde ik opnieuw te gaan staan, dwong mijn benen om ondanks de verpakking te buigen. Het duurde langer dan me lief was, maar uiteindelijk voelde ik hoe ik omhoog kwam. Maar net toen ik richting de uitgang wilde strompelen, duwden ze me terug op de grond en begonnen me door het park te rollen.

Elke seconde, elke omwenteling, voelde even vernederend. Elke centimeter die ik rolde betekende meer plopgeluiden en meer plopgeluiden betekende meer gejoel. Ik kon gewoon niet geloven wat hier gebeurde, dat mams opmerking hiertoe had kunnen leiden.

Zo bleven ze nog een paar minuten met me spelen: er werden nog meer foto's genomen, in een rijtje stonden ze naast me te knippen, alsof ik een vis was die ze zojuist op zee gevangen hadden. Vreemd genoeg had ik niet de neiging om te glimlachen voor deze kiekjes.

Ten slotte, toen het ze eindelijk leek te gaan vervelen, leidden ze me het hek door en lieten me gaan. Als afscheidscadeautje tapeten ze het nieuwe skateboard nog tegen mijn borst, zodat ik het onderweg niet zou verliezen.

'Wacht even', smeekte ik. 'Jullie gaan me toch niet zo achterlaten? Zo kan ik toch nooit naar huis lopen – dat is veel te ver!'

De laatste woorden waren van Stan, die me op de rug sloeg, wat voor nieuwe plop-geluiden zorgde.

'Dat zijn we verplicht aan je moeder, man. Dat snap je toch. Zij weet hoe gevaarlijk skaten is. Het enige wat wij gedaan hebben, is haar orders opvolgen.'

En met een zacht duwtje begon mijn nieuwe *Walk of Shame*.

In werkelijkheid was het net iets meer dan een kilometer van het park naar Passie voor Nasi. Ik had het al wel zo'n honderd keer in mijn leven gelopen en nooit had ik er langer dan tien minuten over gedaan, maar vandaag, ingepakt als een rollade, door mijn 'vrienden' uit het skatepark, duurde het een eeuwigheid.

Een apathische luiaard met een houten been zou het nog sneller gedaan hebben.

Om te beginnen hadden ze me zo strak ingepakt dat ik amper mijn benen kon buigen, waardoor ik gedwongen was om belachelijk kleine stapjes te nemen. Ik probeerde me maar niet voor te stellen hoe ik eruitzag, maar gezien de reacties van iedereen die ik tegenkwam was het eerder hilarisch dan angstaanjagend.

Mensen grijnsden, lachten, wezen en draaiden zich niet echt subtiel nog een paar keer naar me om. Eén peuter begon te huilen, terwijl hij zich onder zijn moeders rok verstopte, terwijl de wat moedigere kinderen deden wat iedereen doet wanneer hij bubbeltjesplastic ziet. Ze knepen erin.

Het was alsof een kudde uitgehongerde kippen op me in pikte. Elke centimeter van me leek onder vuur te liggen, zelfs het plastic rondom mijn gezicht werd niet gespaard. Ik leek wel een band die langzaam leegliep en er was niets wat ik kon doen om het te stoppen.

Maar het meest vervelende was nog wel dat, hoewel de mensen me maar al te graag wilden laten leeglopen, niemand aanbood om het plastic te verwijderen. Een oud vrouwtje dat ik om hulp smeekte, vertrok zelfs kwaad haar gezicht voordat ze me met haar paraplu te lijf ging. Het was het enige moment waarop ik dankbaar was voor de beschermende laag.

Ik bedoel, wat mankeerde al die mensen? Het was niet alsof ze m'n mond ook dicht geplakt hadden. Ze hoorden hoe ik om hulp vroeg, dus waarom deden ze niets?

Ik was nog niet eens halverwege, toen het me allemaal teveel werd. Een groepje tienjarige rotjochies liep al een tijdje achter me aan, steeds maar weer in de bubbels knijpend, totdat er ten slotte iets in mij knapte en ik ze toebrulde met een stem waarvan ik niet wist dat ik hem bezat, met woorden waarvan ikzelf amper de betekenis kende.

En denk je dat het werkte?

Mooi niet.

In plaats daarvan sprongen ze nu bovenop me, waardoor ik in de goot viel en de laatste paar overgebleven bubbels ook nog knapten.

En het trieste was dat ik gewoon bleef liggen en ze hun gang liet gaan, in de hoop dat ze er genoeg van zouden krijgen voordat alle bubbels kapot waren. Mijn vechtlust was verdwenen, ik had er de energie niet meer voor. Niet voor hen, niet voor de kinderen op school. Zelfs niet voor mam en pap. Ik was kapot.

Gelukkig bleek ik niet al te lang meer te hoeven wachten op het einde van de vernedering, aangezien even later een auto met piepende remmen en toeterend naast ons stopte.

De jongens renden er vandoor en het achterportier van de auto werd geopend, waarna een paar armen me op de achterbank trok. Met gierende banden vertrokken we weer en terwijl handen het bubbeltjesplastic van mijn zwetende hoofd trokken, durfde ik langzaam te hopen dat mijn beproeving eindelijk voorbij was.

19

Hoewel mijn mond geen moment afgedekt geweest was, snakte ik naar adem nadat het laatste restje plastic van mijn hoofd getrokken was.

Maar of het nu de opluchting was of de schok, waardoor ik op dat moment begon te hyperventileren, het deed er niet toe. Het enige waarvan ik me bewust was, was het zweet dat al die tijd tegen mijn voorhoofd aan geplakt zat en geen kant op gekund had en dat nu langs mijn gezicht naar beneden stroomde over het plastic daaronder. Ik voelde me als een opengebarsten waterbed.

Half hangend op de achterbank van de auto draaide ik me om om mijn redder in nood te bedanken, om tot de ontdekking te komen dat het de laatste persoon was die ik verwacht had.

Sinus. Hij mocht dan misschien al weken niet meer tegen me gesproken hebben, maar nu was hij hier en trok ongeduldig aan het plakband rond mijn polsen, alsof het de gewoonste zaak van de wereld was.

'Interessante outfit heb je vandaag gekozen', zei hij, zonder me aan te kijken. 'Urban skateboard chic zeker?'

'Linus!' blafte zijn moeder vanaf de bestuurdersstoel. Via de achteruitkijkspiegel keek ze me aan, een deels geamuseerde, deels bezorgde blik in haar ogen. 'Gaat het een beetje, Charlie, lieverd?'

'Beter dan ooit', antwoordde ik, terwijl ik mijn best deed om te glimlachen. Ik mocht Sinus' moeder graag. Ze was oké. Ook al zag ze er een beetje apart uit, maar wat wil je, met zoons als Sinus en Bunion.

Hoewel ik nu eigenlijk lieg, aangezien ik niet eens precies wist hoe ze er uitzag. Haar gezicht was namelijk altijd zo zwaar opgemaakt, dat ik geen idee had of ze er goed uitzag of niet. En dus ging ik maar uit van het laatste.

Ze had die vreemde gewoonte, die sommige vrouwen hebben, om haar hele gezicht vol te smeren met oranje prut tot aan de kin, waardoor de nek eronder akelig bleek afstak. Hierdoor had haar hoofd wel iets weg van een lolly op een stokje: zo ziekelijk oranje dat ik tijdens de zomer altijd half en half verwachtte dat er een zwerm wespen omheen zou zoemen.

En toch mocht ik haar dus. Haar glimlach mocht dan wel fluorescerend rood zijn, hij was in ieder geval sympathiek.

'Wat gebeurde daar allemaal?' vroeg ze. 'Pestten ze je?'

'Nee, hij gaat na schooltijd altijd zo gekleed', antwoordde Sinus droog. 'Vooral wanneer hij indruk wil maken op zijn nieuwe vrienden.'

'Het spijt me', hijgde ik, niet helemaal zeker waarvoor ik me precies verontschuldigde. *Hij* had *mij* tenslotte ook genegeerd.

'Wil je dat ik je moeder bel? Om haar te vertellen wat er aan de hand is?'

'Nee!' riep ik, een beetje te snel. 'Ik bedoel, ze heeft een examen. Haar telefoon staat dus waarschijnlijk uit.'

'Nou, in dat geval kun je maar het beste even met ons mee naar huis gaan. Zodat je weer een beetje bij kan komen. Je ziet eruit alsof je wel wat te drinken lust.'

Ik bekeek mijn gezicht in de spiegel. Het was net zo rood als dat van haar oranje was en al even onaantrekkelijk. En ik had inderdaad dorst, hoewel ik gokte dat zich inmiddels wel zo'n anderhalve liter water tussen het bubbeltjesplastic en mijn huid verzameld had. Maar daar moest ik nu even niet aan denken.

Naast mij bleef Sinus onverstoorbaar verder trekken aan het tape.

Zo hoefde hij zijn lange neus niet op te tillen om me aan te kijken en dat vond hij duidelijk prima.

De handdoek droop, nadat ik me helemaal afgedroogd had. Het bubbeltjesplastic lag in een enorme hoop aan mijn voeten.

'Ik vond je geloof ik leuker toen je nog verpakt was', zei Sinus, sarcastischer dan ooit.

'Ik lijk wel een gedroogde pruim.' Ik liet hem mijn vingers zien, die rood en gerimpeld waren, alsof ze anderhalve dag in warm water hadden liggen weken.

'En nu wil je zeker dat ik medelijden met je heb? Ik hoop niet dat je ook nog een hug verwacht, want die ga je echt niet krijgen.'

Ik zuchtte. Waarom moest het nu uitgerekend Sinus zijn die me gered had, net nu de situatie zo gespannen was tussen ons? Ik voelde dat er een gigantisch 'heb ik het je niet gezegd'-moment aan zat te komen.

'Ben je nog steeds boos vanwege…'

'Wie zegt dat ik boos ben?'

'Laat me nu eerst eens uitpraten, wil je!' blafte ik. Er was vandaag zoveel gebeurd, dat ik geen geduld meer kon opbrengen voor Sinus. 'Ben je nog steeds boos omdat die jongens in het park je vorige week uitlachten?'

'Doe niet zo achterlijk', schamperde hij, 'dacht je nu serieus dat het mij wat kan schelen wat zij denken?'

'Is het dan omdat ik zo druk was met oefenen? Komt het daardoor? Omdat ik jou er niet bij betrok?'

'Je moet doen wat je niet laten kan', zei hij schouderophalend.

Lieve help, het leek wel een pruilende kleuter.

'Het spijt me dat ik je zo genegeerd heb de laatste tijd. Ik liet me, denk ik, een beetje teveel meeslepen door alles.'

'Het zal wel.'

'Maar het was ook zo spannend, snap je. Ik weet zeker dat jij je ook zo zou voelen, wanneer je iets zou vinden wat je leuk vindt, waar je goed in bent.'

Hij sprong op van zijn stoel en vloog me nog net niet aan.

'Wie zegt dat ik nergens goed in ben? Wie? En gebaseerd op wat? Bovendien, hoe weet JIJ nou wat ik leuk vind!'

'Ho, ho, rustig aan, oké?' Sinus kookte nu, woedend stond hij voor me heen en weer te springen. Het leek wel alsof hij nodig naar de wc moest. 'Maar het komt gewoon omdat… nou ja, je vertelde me ook nooit iets. Je bent mijn vriend, maar we praten eigenlijk nooit ergens over, toch? Niet echt, tenminste…'

'Tja, nou ja, misschien loop ik gewoon liever niet zo te koop met dingen waar ik goed in ben. Misschien vind ik het wel genoeg wanneer *ik* het weet. Ik hoef me niet zo nodig populair te voelen, in tegenstelling tot sommige andere mensen.'

Oké. Flauw, maar waar. Toch voelde ik me ook gekwetst. Ik was het gewoon zat om altijd maar dat onhandige jongetje van de afhaalchinees te zijn. Ik wilde dat mensen mij voor de verandering ook eens zouden zien staan. En kijk nou, waar het toe geleid had. Maar dat kon ik Sinus allemaal niet vertellen, zo makkelijk wilde ik hem er niet mee weg laten komen.

'Nou, ik ben nu eenmaal niet zoals jij. Bovendien is het nu ook weer niet alsof jij zo gelukkig bent, of wel? Je mag dan misschien ergens goed in zijn, echt veel plezier beleef je er volgens mij niet aan. Het enige wat jij tegenwoordig doet, is met je neus in dat stomme notitieboekje van je zitten.'

Even vloog er een schaduw over zijn gezicht. Blijkbaar had ik een gevoelige snaar geraakt. Dat was me nog nooit eerder gelukt. 'Jij mag dat dan misschien wel stom vinden, ik weet wat erin staat.' Hij klonk zo kinderachtig nu, dat ik half en half verwachtte dat hij ook nog zijn tong naar me uit zou steken.

'Laat zien dan', antwoordde ik. 'Wanneer het zo indrukwekkend is, wil ik het ook wel zien. Kom op, maak me gek.'

'Niemand, behalve ik, mag in mijn notitieboekje kijken.'

Hij dreef me tot waanzin, ik kon er niet meer tegen.

'Zal ik je eens wat zeggen, Sinus? Ik ben je dankbaar voor je hulp vandaag, echt waar, maar ik word knettergek van je. Zoals je daar nu zit, blij met jezelf, mij uitlachend omdat ik iets geprobeerd heb, maar ondertussen doe je zelf nooit wat. Je weet toch wel hoe de andere kinderen over je denken, of niet?'

Hij haalde zijn schouders op, alsof het hem niets kon schelen, maar dit keer wist ik dat dat wel degelijk het geval was.

'Ze denken dat je achterlijk bent. Dat je niet goed bent in je hoofd. Je staat daar altijd maar, uren starend naar muren, als een of andere idioot. Ik bedoel, zit je daar dan helemaal niet mee?'

Ik ratelde maar door. Nog nooit in mijn leven was ik zo direct geweest tegen iemand. Plotseling was ik bang dat ik misschien iets te hardvochtig geweest was en bond ik snel in.

'Maar ik denk niet dat je vreemd bent, want je bent mijn vriend. Dus wanneer je inderdaad iets briljants in dat notitieboekje hebt staan, laat het me dan zien. Want jij mag het dan wel niet met anderen willen delen, ik wel. Omdat dat is, wat vrienden voor elkaar doen.'

Ik zag hoe hij zijn hand richting zijn kontzak bewoog, waar hij het legendarische notitieboekje bewaarde. Maar hij haalde niets tevoorschijn. In plaats daarvan schudde hij glimlachend zijn hoofd.

'Zal niet gaan, Charlie. Niet het boekje.'

Ik kreunde en wilde dan maar vertrekken, maar hij hield me tegen. 'Maar ik weet iets beters. Ik zal je echt laten zien wat ik kan. Helemaal.'

De blik in zijn ogen vertoonde een soort fanatiek zelfvertrouwen. Hij zag er zelfvoldaner uit dan ooit tevoren, wat toch wel iets zei, gezien zijn gebruikelijke, totaal misplaatste arrogantie.

'Oké, kom maar op dan.'

Opnieuw schudde hij resoluut zijn hoofd.

'Nee. Ik ga je niet vertellen wanneer. Wacht maar gewoon af. Goed opletten, dan zie je het vanzelf.' Zijn ogen werden groot van opwinding. 'Maar dankzij dit fijne voorval vandaag, kan het je onmogelijk ontgaan.'

Op dat moment vroeg ik me serieus af of de andere kinderen het dan toch bij het rechte eind hadden, dat Sinus' hersens tijdens het snuiten via zijn neus naar buiten gevallen waren.

Maar iets aan de zelfverzekerde blik in zijn ogen vertelde me dat ik hem moest geloven, en dus zei ik dat ik niet kon wachten.

'Morgen samen naar school lopen?' vroeg ik.

'Nee', antwoordde hij, 'morgen heb ik dingen te doen. Plannen maken. Ik zie je daar wel.'

Het was duidelijk dat ik iets in beweging gezet had bij hem. En dus pakte ik, zonder verder nog iets te zeggen, de natte stukken bubbeltjesplastic bij elkaar en liep, via de vuilnisbak, terug naar huis.

20

Ondanks het feit dat hij irritant was en veel te zelfingenomen, was het toch fijn om Sinus weer terug te hebben. Ik zou niet geweten hebben hoe ik de weken na het bubbeltjesplasticincident in mijn eentje had moeten doorstaan. Het gepest na mijn publiekelijke confrontatie met mam was niets, hiermee vergeleken.

Kinderen lachten me recht in mijn gezicht uit, er werden gedichten en liedjes over mij geschreven, en overal verschenen de foto's, zelfs op de toiletbrillen. Nergens was ik nog veilig.

Het was duidelijk dat de telefoontjes met camera mijn aartsvijand waren. Tenminste dertig foto's waren er in omloop: je had er een mooie slideshow van kunnen maken.

Wat iemand dan ook deed, om hem vervolgens te vertonen op het plasmascherm in de kantine. Nog nooit was daar zo veel gelachen om iets anders dan de maaltijden die er aangeboden werden. Ik zat erbij en keek door mijn vingers mee en bij elke keer dat ik mezelf op het grote scherm over de grond zag rollen, bij elk bubbeltje dat knapte, verging mijn wereld opnieuw.

Maar daar stapte Sinus al richting de tv, hij had nog net geen wapperende superheldencape achter zich aan.

Hij was er bijna, toen hij door twee gorilla's uit de zesde tegengehouden werd.

'Waag het niet om die tv uit te zetten, of wij zullen jou eens uitzetten', gromde de één.

Sinus hield zijn hoofd scheef en keek ze aan. 'Grappig idee, maar niet echt een dreigement, of wel? Je kunt beter zeggen dat je me anders neerslaat, veel effectiever.'

Verbluft keken ze elkaar aan, voordat ze allebei hun vuisten naar hem ophieven.

Dit dreigement begreep Sinus meteen en hij zette het op een rennen richting de uitgang, waarbij hij in het voorbijgaan snel de stekker van de tv uit het stopcontact trok.

Nog nooit had ik hem zo snel zien bewegen, helemaal toen ze ook nog eens dreigden om hem bij zijn neus te pakken.

Ze hadden met gemak allebei een vuist in een van de neusgaten kunnen steken. Niet dat ik ze dat vertelde, natuurlijk; ik zat al genoeg in de problemen.

Helaas bleef het gepest niet beperkt tot de kantine. Het begon al wanneer ik 's ochtends om acht uur het schoolplein betrad en stopte zelfs niet wanneer ik 's avonds bestellingen aannam in het restaurant.

Ik had nu ook een bijnaam, net als Sinus. Niet langer was ik het onderdeurtje, nee, vanaf nu was ik Bubbeltjes Plastic Charlie voor iedereen die me kende, en ook voor velen die me niet kenden.

Sinus en ik probeerden ons zo onopvallend mogelijk door school te bewegen, als een stelletje paria's, waarbij we ons best deden om te blijven lachen om de vele nieuwe en gevarieerde manieren waarop ik voor gek gezet werd, maar elke minuut van elke dag deed pijn. Vooral omdat ik, voor één keer, zo dicht bij het punt van acceptatie geweest was.

Ik liet de grappen over me heen komen, voelde de druk toenemen, waardoor ik me steeds kleiner en kleiner ging voelen, maar elke keer dat ik ten onder dreigde te gaan, pakte Sinus me weer op en vertelde me dat ik me geen zorgen moest maken.

'Het had nog veel erger kunnen zijn – je had Bunion kunnen zijn', zei hij dan bijvoorbeeld, waardoor ik het in elk geval weer even volhield tot het eind van de pauze.

Verder was hij echter niet minder raar dan anders, nog altijd even gefascineerd door zijn notitieboekje en door muren.

Zijn laatste obsessie betrof een bakstenen gevaarte net buiten de schoolpoort, de zijkant van een rijtjeshuis met uitzicht op de klaslokalen. De muur was hoog genoeg om me te doen denken aan de halfpipe en was zichtbaar vanaf bijna elk punt in school.

Kortom, echt *zijn* soort muur, en toen er op een gegeven moment wat graffiti op verscheen, vond hij dit dus machtig interessant.

Nou ja, ik zeg nu wel graffiti, maar in eerste instantie was het niet meer dan één grote, vier meter hoge 'B' die er slordig op gespoten was. Iemand had of hele lange armen, of een hele lange ladder tot zijn beschikking gehad.

'Wat vind je?', vroeg Sinus, terwijl hij er kritisch naar staarde.

'Waarvan?'

'*Daarvan*!' Hij knikte, alsof hij er serieus over wilde discussiëren.

'Wat, die graffiti?'

'Is het graffiti?' vroeg hij. 'Denk je dat het dat is?'

'Nou ja, het is niet bepaald de *Mona Lisa*, of wel? En tenzij we in Sesamstraat wonen, snap ik niet echt het nut ervan. We kennen heus allemaal onze letters wel.'

Hij zweeg verder, staarde ernaar over zijn schouder, terwijl we wegliepen en bleef nog even staan voor een laatste blik, voordat we de hoek om gingen.

'Is het goed als Sinus nog even mee naar binnen komt?' vroeg ik mam, vanaf de andere kant van de toonbank.

Argwanend keek ze mijn vriend aan en Sinus beantwoordde haar blik zo onbevangen mogelijk. Hij wist dat mijn moeder hem niet mocht, maar zoals gewoonlijk kon het hem niets schelen.

'We moeten huiswerk maken. Een project.'

'Van mij mag het', mengde pap zich in het gesprek. Met tranende ogen stond hij de grootste ui die ik ooit gezien had te snijden.

Mam staarde hem aan, waarop pap even zijn schouders ophaalde en weer verder ging met snijden.

'Voor deze ene keer dan', zei ze ten slotte. 'Maar denk vooral niet dat ik jou of je broer vergeven heb dat jullie Charlie dat skatingboard geleend hebben.'

Ik kromp in elkaar.

'*Skate*board, mam.'

'Interesseert me niet. Levensgevaarlijk, dat is het. Een doodsbedreiging op wielen.'

Ze schudde haar hoofd en sloeg een sjaal om haar hals.

Ze moest een vermoeden hebben van hoe het de afgelopen weken op school geweest was voor mij. Misschien was dit haar manier om te zeggen dat ze spijt had van wat ze veroorzaakt had? Onwaarschijnlijk natuurlijk, maar in mijn situatie zou jij je ook vastgeklampt hebben aan het kleinste sprankje troost.

'Ga je naar school?' vroeg ik.

'Vanavond niet.' De treurige blik verscheen weer in haar ogen.

'Vanavond ben ik vrij. Maar dat betekent niet dat ik niets te doen heb. Die keukenkastjes raken niet vanzelf gevuld, weet je.'

Dit was geweldig nieuws. Het betekende dat we een goed uur rust zouden hebben, voordat ze terug zou komen en Sinus alsnog de deur uit zou werken.

'Wel meteen aan jullie huiswerk, hè?' zei ze terwijl ze wegliep, wijzend naar ons allebei. 'Geen PlayStation!'

'Natuurlijk niet', antwoordde ik.

'Geen haar op ons hoofd', vulde Sinus aan.

Ze liep naar buiten en we keken elkaar aan.

'PlayStation?' vroeg ik.

'Iets anders zou onbeleefd zijn', zei hij en volgde me naar mijn kamer.

Wat volgde was een intens gelukkig maar veel te kort kwartiertje *Call of Duty*.

Mam wist uiteraard niet dat ik dat spel had. Zoiets gewelddadigs zou ze nooit toegestaan hebben. Als het aan haar lag mocht ik zelfs geen *FIFA 2013* spelen, bang als ze was dat ik misschien een spier zou verrekken. De *COD* had ik tweedehands op eBay gekocht, waarna ik het doosje zo snel mogelijk weggegooid had en de disk in het doosje van een oud Muppetsspelletje gestopt had. Zelfs mam zag geen kwaad in Miss Piggy.

Maar telkens als we net lekker in het spel zaten, ging de telefoon.

Gek genoeg niet die van het afhaalrestaurant, maar onze huistelefoon. Normaal belden mensen ons nooit op dat nummer. Mam
belde altijd met haar mobieltje met mensen van haar meest re-
cente cursus, maar de huistelefoon? Die stond echt te verstoffen.
De eerste keer dat hij ging, nam dan ook niemand op. Pap had
hem waarschijnlijk niet eens gehoord boven de woks en ik had
echt geen zin om mijn spel te onderbreken voor iemand die ons
waarschijnlijk alleen maar iets onbenulligs wilde aansmeren.
Ook toen de telefoon een tweede keer overging negeerde ik het,
maar bij de derde keer begon ik me toch lichtelijk paranoia te
voelen.
'Zou het m'n moeder zijn, om ons te controleren?' vroeg ik Sinus.
Zonder zijn ogen van het scherm te halen begon hij haar te imi-
teren, zijn stem hoog en paniekerig. Het leek totaal niet, maar
was wel grappig.
'Hebben jullie je wiskundehuiswerk al af?' gilde hij. 'En slijp je
potlood niet te vaak. Loodvergiftiging kan dodelijk zijn!'
Van *hem* vond ik het niet erg, wanneer hij de spot met haar
dreef, in tegenstellig tot die idioten in het park. Bij hem was het
grappig, bovendien hield hij op wanneer ik dat vroeg. Uiteindelijk. En dus deed ik lekker mee (niet dat ik al teveel moeite
moest doen om een hoog stemmetje op te zetten) en samen
verzonnen we de meest belachelijke dingen die zouden kunnen
gebeuren. Waarschijnlijk klonken we als een stel idioten, met
die hoge stemmetjes, maar dat kon ons niets schelen – het was
heerlijk om weer eens te kunnen lachen. Dat was al veel te lang
geleden.
De telefoon ging voor de vierde keer, bleef heel lang door rinkelen, en ging vervolgens nog een keer. Ik kon het niet langer
negeren en nog na grinnikend liep ik de gang in en nam op,
waarbij ik vergat om mijn eigen stem weer op te zetten.
'Hallo?' gilde ik.
Meteen hoorde ik iemand antwoorden, buiten adem en enigszins
paniekerig, zeker niet de stem van mam, maar van een andere
vrouw.

'O, gelukkig, je bent thuis, Shelly. Ik kreeg je mobiel niet te pak-ken. Je spreekt met Pauline van verpleeghuis Eikendonk. Dora heeft een terugval gehad. Ik ben bang dat ze opnieuw een aanval gehad heeft.'

Ik had geen idee wie deze vrouw was of waar ze het over had. Maar tijdens de twee daaropvolgende minuten werd de wereld, zoals ik die kende, op zijn kop gezet.

21

Voor het eerst in mijn leven was ik blij dat ik de baard nog niet in de keel had. Maar na twee minuten de hoge stem van mijn moeder nadoen, begon mijn keel toch wel een beetje te branden. Opgeven was echter nog geen optie, er was nog te veel wat ik te weten wilde komen.

Tot dan toe was het gesprek ongeveer als volgt verlopen:

Ik: 'Een aanval? Dora?' Ik pijnigde mijn hersens om te bedenken waar ze het in vredesnaam over had.

Pauline: *lange stilte...* 'Eh... ja. Ze was vandaag net weer een beetje rustig na de aanval van gisteren, en we hoopten al dat de nieuwe medicijnen goed aangeslagen waren. Maar ongeveer een uur geleden begon ze opnieuw te stuiptrekken.'

Ik: *terwijl mijn hoofd van verwarring zowat uit elkaar barstte en mijn stem automatisch weer wat lager klonk.* 'Stuiptrekken?'

Pauline: *nog langere stilte...* 'Je weet wel, schudden, verkrampen. Zoals ze altijd doet tijdens een aanval.' *Stilte...* 'Shelly, gaat het wel? Je klinkt zo... vreemd. Ben je ziek?'

Ik: *stem weer hoger en schriller dan ooit.* 'Nee, nee, niets aan de hand, ik deed alleen net... een dutje, toen je belde. Ik geloof dat ik nogal ver weg was, ik voel me nog steeds een beetje licht in het hoofd.'

Pauline: 'O, sorry. Je *klinkt* ook niet echt als jezelf.'

Ik: 'Zo meteen gaat het wel weer. Maar gaat het, eh... nu weer beter met Dora?' Ik stond op het punt om te stoppen met dit toneelstukje en op te hangen, maar mijn handen weigerden om mijn hersens te gehoorzamen. 'Kan ze aan de telefoon komen?' (Misschien dat als ik haar stem kon horen, het allemaal wat duidelijker werd.)

Pauline: *een beetje beduusd, alsof ze het tegen een volslagen idioot had.* 'Niet echt. Maar nu gaat het wel weer. Echt waar. Ze slaapt. En bovendien... nou ja... je weet wel, het is niet dat ze je er zelf over zou kunnen vertellen, nietwaar?'

Mijn hart stopte maar mijn hersens werkten nu op volle toeren. Dus wie die Dora ook was, ze kon niet praten? Wat was hier aan de hand? Was dit een of andere slechte grap van een van de kinderen op school, of uit het park? Ik bedoel...

Pauline: 'Shelly, ben je daar nog?'

Ik: *geschrokken*... 'Ja.'

Pauline: 'Maak je alsjeblieft geen zorgen, lieverd. Ik weet dat ze je zus is...'

Ik: *HOOFD EXPLODEERT VAN ONGELOOF.*

Pauline: '...maar het was echt niet erger dan die van gisteren en nu slaapt ze weer. De dokter heeft haar onderzocht en heeft er vertrouwen in dat ze met de juiste medicijnen wel weer stabiel wordt. Geen reden dus om overhaast hierheen te komen. Misschien *moet* je nu ook maar even proberen te slapen. Je klinkt nog steeds een beetje... moe.'

Ik: 'Dat ben ik ook. Het is gewoon de schrik, snap je.'

En dit keer loog ik niet. Hoewel 'schrik' de lading niet echt dekte.

Pauline: 'Natuurlijk, maar echt, je hoeft je niet ongerust te maken. We zien je zoals altijd morgen wel weer, oké?'

Ik: 'Ja. Oké. Dag.'

Voorzichtig legde ik de telefoon terug, waarna ik als een soort zombie terug mijn slaapkamer in strompelde. Waar moest ik in vredesnaam beginnen?

Voor deze ene keer hield Sinus eens zijn mond. Geen sarcastische opmerkingen, enkel het geluid van de kamer, die zich langzaam vulde met mijn bizarre verhaal.

'Lieve help', zei hij ten slotte, 'niet te geloven.'

'Denk je dat het een grap is? Iemand uit het skatepark?'

'Jongen, bubbeltjesplastic is één ding, maar dit is wel even iets anders hoor. Zoiets verzin je niet!'

Hij had natuurlijk gelijk, maar ik kon het nog altijd niet geloven. Ik bedoel, mam die een zus had? Ze was enig kind. Ik probeerde zo ver als ik kon terug te denken, op zoek naar vage herinneringen aan een tante, een relaxtere en normalere versie van mijn moeder. Iemand die het voor me op nam, als zij weer eens aan het kakelen was. Maar er kwam niets. Ik had zelfs mijn grootouders nooit gekend. Die waren al dood voordat ik geboren werd; mam was altijd de enige geweest.

'Als dit allemaal waar is, waarom heeft ze mij er dan nooit over verteld?' vroeg ik Sinus. 'Waarom zou ze het geheim houden?'

'Al sla je me dood.'

'En mijn vader?' Ik begon nu boos te worden, mijn bloed kookte van verwarring. 'Ik bedoel, die moet er toch van afweten. Ze kan het toch onmogelijk ook voor hem verborgen gehouden hebben, of wel?'

Sinus haalde zijn schouders op, heel even keek hij alsof hij dit gekkenhuis het liefst zo snel mogelijk wilde verlaten.

'Ik ga het hem gewoon vragen', riep ik, terwijl ik overeind sprong. 'Recht op de man af.'

Sinus pakte me beet en trok me terug op de grond.

'Niet doen. Nog niet. Stel je voor dat hij het niet weet. Stel je voor dat ze het ook voor *hem* verzwegen heeft. Die man wordt gek. Nee, we moeten dit eerst verder uitzoeken.'

Hij pakte mijn laptop en opende hem. 'Hoe zei je ook weer dat dat ziekenhuis heette?'

Plotseling had ik een black-out.

Ik wist alleen nog dat er een boom in de naam zat, maar welke? Onnozel zat ik daar.

'Kom op!' Geschokt keek Sinus me aan. 'Hoe kun je dat nu alweer vergeten zijn?'

'Een compleet vreemde heeft mij net verteld dat ik een tante heb van wie ik nog nooit gehoord had. Mijn moeder en waarschijn-lijk ook mijn vader blijken de grootste leugenaars op deze wereld te zijn. En ik ben blijkbaar even naïef als dat zij doortrapt zijn. Dus neem me niet kwalijk dat ik me eventjes niet meer kan herinneren dat dat ziekenhuis Eikendonk... Het is Eikendonk. Eikendonk.'

Opgelucht sloeg ik mijn hand voor mijn mond, terwijl Sinus de naam googelde.

'Eikendonk', las hij. 'Het is inderdaad een verpleeghuis. Voor langdurige patiënten... bla bla bla... vierentwintiguurszorg... ge-specialiseerd in hoofdletsel.'

'En waar is het?' vroeg ik, terwijl mijn hersens overuren maakten. Hij tuurde naar het scherm. 'Oude binnenstad. Vlak bij het visse-rijmuseum.'

'Oké.' Ik was weer gaan staan. 'Kom op.'

'Wat wil je doen?' vroeg hij argwanend.

'Wat denk je, idioot? Naar Eikendonk natuurlijk.'

'Maar je moeder kan toch elk moment thuiskomen?'

Ik wierp een blik op de klok. Mam had de gewoonte om haar boodschappenkarretjes altijd helemaal tot de rand te vullen dus ik gokte dat als we snel zouden zijn, we het nog wel zouden halen.

'We moeten er alleen wel zien te komen', dacht ik hardop.

'Met de bus is het één keer overstappen.'

Dat zou te lang duren. We hadden één optie. Niet ideaal en Sinus zou het vreselijk vinden, maar er zat niets anders op.

22

Ik trapte alsof mijn leven ervan afhing.

Nou ja, ik trapte zo hard als ik kon, zonder helemaal kapot te gaan.

Het nijlpaard in beweging krijgen was normaal gesproken al geen sinecure, maar met Sinus opgepropt in de bak voorop was het echt gekkenwerk.

Hij had vreselijk moeilijk gedaan toen ik hem de driewieler had laten zien, maar was tevens ook wel zo nieuwsgierig dat hij het erger vond om achter te blijven dan om voor gek te staan. En dus was hij mopperend in de bak geklommen, zijn benen bungelend over het stuur. Ik mocht dan wel kleiner zijn dan hij, maar hij zou de wielen helemaal nooit in beweging gekregen hebben.

Wanneer ik niet zo vreselijk gespannen geweest was, had ik er waarschijnlijk nog om moeten lachen ook. Zo belachelijk zag hij eruit. Het enige wat nog ontbrak was een dekentje en hij had zo voor E.T. kunnen doorgaan.

Een beetje buitenaardse hulp was overigens niet onwelkom geweest: iemand die de fiets had laten vliegen en ons supersnel naar onze bestemming gebracht zou hebben. Maar in plaats daarvan zette ik dus mijn tanden op elkaar en fietste zo snel als ik kon.

Het kostte ons zo'n vijfentwintig minuten om er te komen en allebei waren we kapot: ik omdat ik helemaal uitgeput was en Sinus omdat hij kramp had. Als een voetballer rolde hij over de grond. Ik had de neiging om hem een trap te geven, maar weerstond de verleiding – ik zou zijn hulp waarschijnlijk nog nodig hebben. In plaats daarvan hielp ik hem dus overeind en zei hem dat hij zich niet zo moest aanstellen.

Eikendonk bleek een enorm gebouw, zeker al wel zo'n honderd jaar oud, met allemaal pilaren en mooie gedenkstenen in de gevel. Het gebouw stond midden in een enorme tuin, met eeuwenoude bomen en overal stenen bankjes. Maar hoewel de eiken enorm waren, kon je toch in de verte de zee nog zien.

'Leuk plekje', zei Sinus.

'Gigantisch', zei ik. 'Denk je dat we haar hier kunnen vinden?'

Hij haalde zijn schouders op. 'We kunnen het in elk geval proberen. De receptie is die kant op.'

Ik liep richting het gebouw, me plotseling realiserend dat ik geen flauw idee had wat ik zou doen als ik eenmaal binnen was. Ik bedoel, hoe vraag je de weg naar de kamer van je lang verloren tante? En wat zou ik zeggen, als ik haar zou zien? Zou ze überhaupt wel weten wie ik was? Weten dat ik bestond?

Plotseling voelde ik me overweldigd. Het liefst was ik weer op het nijlpaard geklauterd, naar huis gezwoegd en in bed geklommen. Maar iets hield me tegen.

De gedachte aan mijn moeders gezicht de afgelopen weken, de zorgrimpels en de emoties in haar ogen. Alle zorgen, waarvan ik dacht dat ze te maken hadden met een of andere stomme massagecursus, terwijl ze in werkelijkheid Dora – wie dat dan ook mocht zijn – betroffen.

Ik dacht aan alle jaren dat ze een toneelstukje gespeeld had, de cursussen die ze verzonnen had om de werkelijkheid voor me verborgen te houden, alle leugens die ze verteld had, enkel om hier te kunnen zijn. Ik kon me bijna niet voorstellen hoe vaak ze de reis hiernaartoe wel niet gemaakt had.

Er schoten wel honderd vragen door mijn hoofd en ik moest wel geloven dat de antwoorden daar binnen in dat gebouw lagen. Ook al maakten de mogelijkheden die door mijn hoofd spookten me bang, ik moest er wel naar luisteren. Een alternatief was er niet.

En dus, terwijl ik nog steeds geen idee had wat ik ging zeggen, duwden we de dubbele deuren open en liepen de receptieruimte in.

Die was gigantisch, even groot als ons appartement. Meer een statig landhuis dan een ziekenhuis. Het enige wat daarop wees was de geur – die kunstmatige en desinfecterende geur die je meteen bij binnenkomst doet verstijven.

Er hing een kalme sfeer, door onzichtbare speakers klonk rustige muziek. Bijna alsof iemand een slaapliedje zong. Het enige onrustige was de verpleegster achter de ontvangstbalie, die vergeefs probeerde om drie dingen tegelijk te doen.

Om te beginnen was ze aan de telefoon, waarbij het snoer twee keer om haar lichaam gewikkeld zat, terwijl ze probeerde om de papierlade van de printer bij te vullen. In een vreemde taal, die wij niet verstonden, tetterde ze in de hoorn. Het moest ofwel om medische vaktaal gaan, of om scheldwoorden die zo geavanceerd waren, dat wij ze nog niet kenden. En na alles wat ik de afgelopen maand naar mijn hoofd geslingerd gekregen had, moest het wel het eerste zijn.

Hoewel ze nu al niet alles voor elkaar kreeg wat ze wilde doen, probeerde ze ook nog eens tegelijkertijd te drinken uit een glas sap dat naast de printer stond. Uit het glas stak een lang, gebogen rietje omhoog en elke keer dat ze haar hoofd ernaartoe boog, kreeg ze het voor elkaar om zichzelf ermee in het oog te prikken. Pure comedy, maar ik was nu niet in de stemming om te lachen.

De eerste paar minuten merkte ze ons niet op en toen ze ons ten slotte zag staan, rolde ze gefrustreerd met haar ogen. Het laatste waaraan ze duidelijk behoefte had, was wel een stel kinderen.

En dus rondde ze op haar gemak haar gesprek af, terwijl ze zich aan het telefoonsnoer probeerde te ontworstelen en daarbij haar glas sap omstootte.

Nog meer medische termen rolden uit haar mond.

Ik trok wat tissues uit de doos op de balie en begon het gemorste sap op te deppen.

'Ja, ja, dankjewel', bitste ze, terwijl ze de tissues uit mijn hand griste, 'het lukt *heus* wel.'

Sinus keek haar aan met een blik die zei: *Weet je het zeker?*

Mocht er hier echt een tante van mij liggen, dan hoopte ik maar dat dit niet haar verpleegster was.

Ze bleef het sap nog een minuut of zo heen en weer over het bureau vegen, hijgend en puffend, totdat ze met een laatste zwaai de doorweekte tissues in de prullenbak gooide, diep adem haalde, een flauwe glimlach opzette en zuchtte. 'Goed, jongens. Wat kan ik voor jullie doen?'

Ze had de woorden nog maar net gezegd, of er klonk een sirene. Het soort sirene dat je ook wel hoort in films over de Tweede Wereldoorlog, wanneer de nazi's op het punt staan om Londen te bombarderen. Plotseling leek ze weer zo in paniek, dat ik bang was dat ze elk moment onder het dichtstbijzijnde bureau kon duiken. Ze greep de microfoon die naast haar stond en brulde twee woorden door de speakers – SPOED TEAM! – voordat ze over de balie sprong en richting de deur aan de rechterkant, waarbij ze opnieuw haar glas omstootte.

'Ik ben er zo weer, jongens. Wacht hier', riep ze over haar schouder.

Onmiddellijk ging ik braaf op zoek naar een stoel, maar Sinus niet. Die rende achter haar aan en kon nog net op tijd de deur tegenhouden, voordat die achter haar dicht zou vallen.

'Wat doe je?' fluisterde ik.

'We hebben nog veertig minuten voordat jij weer thuis moet zijn. Ik probeer die tante van je te vinden, voordat je moeder je voor de rest van je leven opsluit.'

Hij was geniaal. Arrogant, irritant en met een grote neus, maar geniaal. Wat zou ik zonder hem moeten?

En zonder nog een seconde na te denken, renden we de deur door en de daarachter liggende trap op. Dora moest hier ergens zijn. Het enige wat we nu nog moesten doen, was haar vinden. En wel zo snel mogelijk.

23

Elke gang zag er hetzelfde uit.

Ik wist inmiddels al lang niet meer welke gangen we al wel en niet gezien hadden en werd steeds nerveuzer, terwijl mijn horloge luider en luider leek te gaan tikken.

'Zie je al iets?' fluisterde ik naar Sinus.

Hij schudde zijn hoofd en wierp een blik door de volgende deur, waarbij hij met zijn neus tegen het raampje stootte. Maar er was geen tijd om te lachen.

Het zou natuurlijk geholpen hebben als ik geweten had hoe Dora eruitzag, maar ik had geen enkele aanwijzing. Noch haar leeftijd, noch haar haarkleur, noch wat dan ook. Ik wist niet eens of ze jonger of ouder was dan mam – misschien was ze wel geadopteerd. We konden dus de hele avond nog wel door blijven zoeken.

Het voelde vreemd om naar binnen te gluren bij de patiënten, alsof ik van plan was om door hun spullen te snuffelen of zo. En het feit dat ze allemaal zo vreselijk ziek waren, maakte het er niet bepaald beter op: de meesten lagen in bed, sommigen sliepen, terwijl anderen wat voor zich uit staarden. De wat actievere patiënten zaten in stoelen naar de televisie te kijken, hoewel ik niet de indruk kreeg dat ze veel van de flitsende beelden meekregen, laat staan ervan genoten. Langzaam begon ik me zorgen te maken over hoe ziek Dora wel niet zou zijn. Die toevallen die ze gehad

had: wat betekenden die? Wat, wanneer ze bij het zien van mij opnieuw één zou krijgen? Wat zou ik doen? Ik begon in paniek te raken, mijn bonkende hart zorgde er net voor dat ik de zoektocht af wilde blazen, toen Sinus me iets te luid vanaf het einde van de gang toeriep.

'Ik geloof dat ik haar gevonden heb', riep hij, maar hij lachte er niet bij. 'Ze is hier.'

Mijn voeten vlogen de hal door, sneller dan wat voor board ook gekund had. Sinus stond met zijn gezicht tegen het raampje, dat langzaam besloeg door zijn adem.

'Weet je het zeker?'

'Honderd procent.'

Ik duwde hem enigszins hardhandig aan de kant en veegde met mijn mouw het raampje schoon.

En daar was ze.

Het moest haar wel zijn.

Een geknakt vogeltje dat leek op mijn moeder.

Waarom weet ik niet, maar in mijn hoofd was ze een grote vrouw geweest, dik en luidruchtig, misschien zelfs wel een beetje wild. Dora bleek echter niets van dit alles.

Ze was klein en graatmager. Haar ledematen bestonden meer uit botten dan uit vlees en de huid zat zo strak om haar gewrichten gespannen, dat ik bang was dat hij elk moment kon scheuren.

Zo anders dan mam, en toch was er geen twijfel dat ze zussen waren. Eén blik op haar ogen was genoeg. Die schitterden even vurig. Het was alsof ik mam over vijftig jaar zag.

Een beetje eng vond ik haar ook wel, als een soort pop in een oude tv-show, maar ondanks mijn lichte afkeer (en schuldgevoel als gevolg daarvan) kon ik niet anders dan de deur openduwen en de kamer inlopen.

'Blijf jij op de uitkijk staan' fluisterde ik tegen Sinus, die meteen met opgezette borst, als een soort bodyguard, voor de deur ging staan.

Haar kamer was netjes, maar vol spullen. Het leek wel alsof ze hier al haar hele leven woonde, wat de leugen alleen nog maar groter maakte.

Overal hingen planken, bomvol aardewerken figuurtjes en dieren. Vooral olifanten: allemaal met hun slurven richting het raam.

Onrustig liet ik mijn blik door de kamer glijden. Al die frutsels interesseerden me niet. Ik zocht naar iets wat zou bevestigen wat ik al vreesde, en ik vond het op het tafeltje naast haar bed.

Een bruin, houten fotolijstje, mam, pap en ik die glimlachend in de camera keken. Ik weet nog dat die foto genomen werd, vlak na een pantomimevoorstelling, een jaar of vijf geleden. We hadden harder gelachen dan we ooit gedaan of sindsdien nog gedaan hadden. Mam leek volkomen gelukkig, geen spoor van zorgen op haar gezicht. Daarom hield ook ik zo van die foto. Nog altijd hoopte ik dat er nog een keer zo één gemaakt zou worden.

De aanwezigheid van de foto schokte me, bevestigde dat Dora echt was, dat wat ik gehoord had aan de telefoon geen vergissing was. Een schok van adrenaline schoot door mijn lichaam, waardoor ik het voor elkaar kreeg om naar het bed toe te lopen en me op het voeteneind neer te laten vallen. Na nog een keer naar de foto gekeken te hebben, sloeg ik mijn ogen op naar haar gezicht. Geschrokken stelde ik vast dat ze me aankeek.

'Hallo', flapte ik eruit, 'ik ben, eh… Charlie. Uw neef. Blijkbaar. Weet u nog?' Ik tilde het lijstje naast mijn gezicht en probeerde de glimlach van de foto na te doen. Ik besefte dat ik me gedroeg alsof ik hier degene was met hersenletsel en dus zette ik snel het lijstje weer terug en glimlachte verontschuldigend.

Ze zei niets, staarde me enkel nog intenser aan. Ik vroeg me af of ze wel *kon* praten. Er was maar één manier om daar achter te komen.

'Ik wist niets over u.' Ik leunde naar voren, deed mijn best om zo relaxed mogelijk over te komen, hoewel ik het in werkelijkheid bijna in mijn broek deed. 'Tot vanmiddag dan. Ze belden om te zeggen dat u ziek was, wat nogal als een schok kwam, aangezien ik niet eens wist dat u bestond! Raar hè?'

Haar mond vertrok en spuug liep over haar kin, terwijl ze een geluid maakte dat een beetje tussen een piep en een schreeuw in zat. Probeerde ze met me te praten of riep ze om hulp? Ik had geen idee en kon enkel toekijken hoe het kwijl hulpeloos onder aan haar kin bungelde.

Naast haar stoel stond een doos tissues en dus bood ik haar er één aan, waarop ze me aankeek alsof ik gek geworden was. Terwijl ze haar armen en handen toch duidelijk kon bewegen, nerveus bewogen ze heen en weer op haar schoot, maar blijkbaar waren ze niet in staat of geïnteresseerd om de tissue aan te pakken.

Langzaam leunde ik naar haar toe om haar mond af te vegen. Ik weet niet waarom ik aarzelde, ze zag er niet uit alsof ze me zou bijten, maar ik was gewoon niet gewend aan mensen die zo… ik weet niet, ziek waren. Bovendien schoot ik hier allemaal niets mee op. Niet wat antwoorden betrof, tenminste.

Bij het naderen van mijn hand hief ze licht haar hoofd op, waardoor ik beter bij haar kin kon.

'Bedankt', zei ik, terwijl ik voorzichtig het spuug wegveegde. 'Zo, dat is beter, hè?'

Ze zei niets, staarde alleen.

'Ze vertelden me dat u ziek was. Dat u aanvallen had. Erge aanvallen.' Het was een beetje raar om op deze manier tegen haar te praten, maar ik wist ook niet wat ik anders moest. 'Waarom zit u hier? Heeft het met mam te maken, is ze daarom altijd zo bezorgd?'

Een nieuwe hoeveelheid kwijl liep over haar kin naar beneden, maar ik veegde het weg voordat het kon vallen.

'Ik wou dat ik eerder geweten had dat u bestond, weet u. Dan zou ik al veel eerder een keer gekomen zijn, echt waar.'

Op dat moment meende ik iets te zien wat op een glimlach leek en mijn hart maakte een sprongetje. Helaas kreeg ik de kans niet om nog een keer goed te kijken, want Sinus stoof de kamer in, bijna bovenop me.

'O, nee', hijgde hij, 'o, nee, nee, nee, nee, nee…'

Ik was al overeind gesprongen. 'Wat is er? Komt er iemand aan?'

Hij was buiten adem, ook al had hij maar tien passen gerend.

'Niet zomaar iemand', hijgde hij. 'Niet *zomaar* iemand! Je moeder!'

24

Binnen enkele seconden werden Sinus en ik de ergste clichés die je je maar kunt voorstellen.

Wetend dat we niet via de deur konden ontsnappen zonder dat mam ons zou zien, renden we door de kamer, gillend en elkaar voor de voeten lopend, dit allemaal tot grote hilariteit van mijn tante. Haar gelach was het grootste bewijs van leven in haar fragiele lichaampje tot nu toe.

Dora's bed was niet echt geschikt om me onder te verschuilen, met alle hendels en mechanismes, en wanneer mam ook maar het vermoeden zou hebben dat er nog iemand anders in de kamer was, dan zou het ook zeker de eerste plek zijn waar ze zou kijken. Of misschien ook wel de tweede, na de kledingkast, waar Sinus zich op het laatste moment verschanst had.

Geen van ons zou punten voor originaliteit verdienen, zoveel was zeker.

Veel ruimte had ik dus niet onder het bed: na veel panisch gekronkel was het me ten slotte gelukt om me er helemaal onder te verstoppen (met dank aan mijn kleine botten), aangedrukt tegen de metalen staaf, waarmee het bed in hoogte versteld kon worden. Mochten ze daar dus mee gaan knoeien, dan liep ik het risico dat ik doorboord zou worden, gespietst om zo maar te zeggen. Maar goed, dan zou mam me meteen makkelijker kunnen grillen, nietwaar?

De deur vloog open en ik hoorde de stem van mijn moeder, nog net boven het geluid van mijn bonkende hart uit.

'Maar met *wie* heb je dan gesproken aan de telefoon?' vroeg ze, paniekerig als altijd.

'Geen idee. Ik had me moeten realiseren dat jij het niet kon zijn, toen al die vragen kwamen. Het spijt me, Shelly. Maar ik had je mobiel al zo vaak geprobeerd, ik wist niet meer wat ik anders moest.' Ik herkende wie dit was. Pauline, de vrouw die ik aan de telefoon gehad had.

'Maak je geen zorgen', zei mam. 'Je hebt vast een verkeerd nummer gedraaid.'

'Maar waarom zou die persoon dan doen alsof ze jou was? Ik snap het niet. Wat heb je toch een zieke mensen.'

Inderdaad, dacht ik. Zoals de persoon met wie je nu aan het praten bent. Een doortrapte, leugenachtige vrouw.

Maar die Pauline met haar talloze vragen mocht ik ook niet. Wat was zij eigenlijk? Een verpleegster of een privédetective? Volgens mij kon ze zich beter eens om Dora gaan bekommeren, in plaats van zo druk te zijn met mam.

De voetstappen kwamen dichterbij en stopten bij Dora's stoel, op ongeveer een meter van mijn hoofd.

Ik snapte niet dat ze mijn paniek niet konden ruiken.

Mam begon tegen haar zus te praten, op rustige toon, een toon die ik niet kende.

'Hai, Dor', zei ze liefdevol, 'sorry, dat ik niet eerder kon komen. Maar ik wist niet dat je weer ziek geworden was, hè? Hoe voel je je?'

Ik duwde mijn hoofd tot net onder de bedrand. Riskant, maar zo had ik tenminste zicht op hun gezichten. Het was vreemd om ze zo te zien, de twee zussen, zo dicht bij elkaar. Bijna alsof ze voor een lachspiegel stonden.

Ik vond het vreselijk, de hele situatie: dat Dora ziek was, dat ik nergens weet van gehad had, dat mam zo verdrietig was, maar ook dat ze blijkbaar doortrapt genoeg was om tegen me te liegen. Alles. Ik voelde mijn schouders spannen en de tranen opkomen, maar vermande mezelf. Ik wist nog niet genoeg en vertrouwde er nog te weinig op dat mam de waarheid zou vertellen, als ik mezelf nu liet zien. Bovendien was hier onder het bed ook geen ruimte om te huilen. Niet als ik niet wilde verdrinken in een door mijzelf veroorzaakte, zoute poel tenminste.

Ik moest me dus zien te beheersen, wachten totdat mam weer vertrokken was, en dan bedenken hoe ik het verder zou aanpakken. Pas dan kon ik of kwaad of verdrietig of verbouwereerd zijn: net wat van pas zou komen.

'En, hoe erg was de aanval?' vroeg mam aan Pauline, terwijl haar ogen Dora niet loslieten.

'Ik zal niet tegen je liegen, Shelly. Het was een behoorlijk heftige aanval. Het soort, waarvan we gehoopt hadden dat de medicijnen ertegen zouden helpen, maar het lijkt er dus op dat we situatie opnieuw zullen moeten bekijken. De dosering moeten aanpassen.'

Mam wreef in haar ogen. Ze zag er doodvermoeid uit.

'Het spijt me zo, Dor', fluisterde ze. 'Je verdient dit niet.'

Dora maakte haar eigen, verdrietige geluidje, alsof ze het met haar zus eens was.

'Ik ben degene die daar had moeten liggen, immers. Niet jij.'

Ik wist niet wat ik hoorde. Alsof ik nog niet genoeg te verwerken had. Wat bedoelde ze? Waarom zou zij hier moeten liggen? Ik was zo in de war, dat ik op mijn lip moest bijten om het niet hardop te vragen.

'En, wat heb je vandaag allemaal gedaan?' vroeg mam nu, terwijl ze de deken over Dora's schoot recht trok. 'Heb je een beetje televisie gekeken?'

Dora maakte allerlei geluiden, woorden, neem ik aan, en hoewel ik er niets van kon maken, kon zij dat duidelijk wel en mam ook, zo leek het.

Ze luisterde geduldig, terwijl ze toekeek hoe de handen van haar zus onrustig in haar schoot bewogen. 'Echt waar?' Alsof ze het tegen een peuter had. 'En hoe vond je dat?'

Dora's woorden werden luider nu en haar armen zwaaiden als molenwieken.

'Oké, oké, rustig maar, lieverd. Geen reden om je nu zo op te winden. Ik ben er nu immers en de dokters gaan op zoek naar een oplossing, dat beloof ik je.'

Maar ik geloofde niet dat Dora mijn moeder vertelde over de aanvallen: Dora vertelde haar zus over haar neefje onder het bed en dat joch met die grote neus in de kast.

'Probeer wat te kalmeren, Dor. Echt, het heeft geen zin om jezelf zo op te winden. Niet na de dag die je al gehad hebt.'

Maar Dora bleek een volhouder. Ze bleef maar grommen en zwaaien, terwijl mijn toch al verkrampte benen langzaam in slaap vielen en vervolgens in een diepe coma raakten. Vertwijfeld vroeg ik me af hoe Sinus zo lang stil kon blijven; hij moest wel haast in slaap gevallen zijn, dromend over de grootste muur ter wereld.

Ik dacht dat mam nooit meer zou vertrekken. Dat mijn aanwezigheid uiteindelijk verraden zou worden door mijn groeiende haar, dat zich vanonder het bed langzaam rond haar benen zou wikkelen.

Een eeuwigheid zat ze daar, soms pratend, soms zwijgend. Het was wel duidelijk dat de twee vrouwen zich op hun gemak voelden bij elkaar. Ten slotte was het Pauline die ons kwam redden. 'De dokter is klaar met zijn ronde, Shelly. Wilde je nog even met hem praten over Dora's medicijnen?'

Mam knikte enthousiast en raapte haar spullen bij elkaar, waarna ze haar zus nog even liefdevol op haar voorhoofd kuste.

'Ik ben zo weer terug', fluisterde ze. 'Probeer rustig te blijven.' Ik herkende de dwingende toon in haar stem.

Dora gromde nog wat, terwijl mam de kamer uit liep.

Nog maar amper was de deur achter haar in het slot gevallen, of de kastdeur vloog open en een hevig niesende Sinus sprong naar buiten.

'Wat een stoffige boel, hier', kreunde hij, terwijl hij zijn neus afveegde aan een jas die in de kast hing. 'Die niesbui stond ik al een kwartier in te houden.'

'Dat was te horen', bromde ik, terwijl hij me onder het bed van-

daan trok, waarbij mijn schouders langs de onderkant schaafden.
'Ik dacht dat ze nooit meer weg zou gaan.'
'Ik ook. En ik verga van de honger. Zit er misschien nog wat in
die bak van je op de fiets?'
Ik antwoordde niet. Eten was nu even geen prioriteit voor me.
In plaats daarvan hurkte ik voor mijn tante en pakte voorzichtig
haar hand. Ik voelde de botten onder mijn vingers kraken. Het
was alsof ik een honderd jaar oud stukje tissuepapier vasthield.
'Het spijt me, tante Dor', fluisterde ik, huiverend bij hoe vreemd
die woorden klonken. 'We wilden u niet laten schrikken. Ik beloof u dat ik met mam zal praten, dat we het uit zullen praten.
Maakt u zich nu maar niet ongerust. U hoeft er alleen maar voor
te zorgen dat u beter wordt.'
De woorden klonken leeg, onzinnig. Het was tenslotte duidelijk
dat ze niet beter zou worden.
'En dan kom ik snel weer. Volgende week of zo. Oké?'
Ze kreunde en liet haar hoofd terug tegen de stoelleuning vallen,
haar ogen alweer gesloten. Het was duidelijk dat ze moe was. Net
als ik zou moeten zijn, maar daar was geen tijd voor.
Wij moesten nog terug naar het nijlpaard en vervolgens zo snel
mogelijk thuis zien te komen. Ik wist wat me nu te doen stond.
Het was geen geweldig idee, maar iets beters had ik niet.
Ik moest met pap praten.

25

De wok viel op de grond, nadat ik Dora's naam genoemd had. Woedend stuiterde hij in mijn richting, kwaad over de grootte van het geheim dat ik ontrafeld had. Noedels spatten alle kanten op. Ik verwachtte half en half dat ze het woord 'paniek' zouden spellen, de emotie die nu over paps gezicht lag. Zijn blik zei alles: dat hij alles wist, dat het allemaal waar was. Ik voelde hoe de laatste ongelovige cellen in mijn lichaam instortten en zocht steun bij de deur.

Eerst bewoog hij zich niet. Zijn mond vertrok, alsof hij woorden probeerde te vormen maar geen idee had welke.

Toen deed hij iets wat hij nog nooit eerder gedaan had.

Hoewel het het drukste moment van de dag was, draaide hij een voor een de gaspitten uit, waarop de wokken teleurgesteld sisten, dit keer naar hem.

Ik hield ervan om naar pap te kijken wanneer die kookte, alleen dan leek hij echt tot leven te komen, alleen dan leek hij oprecht – of tenminste min of meer – gelukkig. Hij leek wel een octopus, in de weer met wel tien verschillende dingen, messen, woks, pannen, raspen. Geen moment leek hij van zijn stuk gebracht wanneer de bestellingen snel achter elkaar of zelfs tegelijk binnenkwamen. Hij zette enkel nog een tandje bij. Op die momenten leek hij het levendigst.

Maar nu, nadat ik slechts één naam genoemd had, stortte hij in.

De handen, die een ui binnen vijftien seconden fijn konden snijden, friemelden nerveus met het koord van zijn keukenschort, in een vergeefse poging om het los te knopen.

'Charlie', mompelde hij, 'waar heb je die naam gehoord?' Misschien hoopte hij nog dat ik het over een andere Dora had. Eentje, die niet gelijk stond aan een veertienjarige leugen.

'Aan de telefoon, vanmiddag. Een vrouw belde. Ze dacht dat ik mam was en vertelde dat Dora ziek was, wat vreemd was, aangezien ik geen idee had waar ze het over had! Maar Dora blijkt dus mams zus te zijn. Stel je toch eens voor!'

Pap zei iets in het Chinees, een vloekwoord, neem ik aan. Ik hoopte tenminste maar dat het geen verklaring was, want daar zou hij toch echt beter zijn best op moeten doen. Plotseling wilde ik dat Sinus nog bij me geweest was, dat ik er niet op gestaan had dat hij van het nijlpaard zou springen toen we langs zijn huis reden. De hele toestand had hem zo beziggehouden dat hij tijdens de hele rit naar huis naar geen enkele muur gekeken had. In plaats daarvan was hij met ingewikkelde, ongeloofwaardige en totaal ongepaste redenen gekomen waarom mam Dora verborgen zou hebben gehouden: dat haar zus bezeten was door aliens of haar verstand verloren had tijdens een geheim farmaceutisch experiment. Ik had er maar niet teveel naar geluisterd: wat de reden ook was, ik was er ziek van.

Terug in de keuken kwam pap nu langzaam op me af om een hand op mijn schouder te leggen. Geïrriteerd schudde ik hem van me af. Ik wilde geen omhelzing, wilde niet kalmeren, het enige wat ik wilde, waren antwoorden. Vandaag. Nu.

Maar pap had duidelijk geen haast. In plaats daarvan stuurde hij de bezorgjongen op pad, zonder enige bestelling, draaide het bordje op de deur om naar gesloten, legde de bestellingtelefoon van de haak en wees me naar de woonkamer.

'Laten we even gaan zitten', zei hij, waarbij hij er plotseling even oud uitzag als Dora.

Ik liep achter hem aan en liet me op onze ingezakte bank ploffen, terwijl hij nerveus naast me ging zitten.

'Dit gesprek zag ik al lange tijd met angst en beven aankomen', zuchtte hij, terwijl hij in zijn ogen wreef. Ik voelde de hitte van de woks van hem afkomen. 'En ik heb er vaak over nagedacht wat ik zou antwoorden, wanneer je erachter zou komen.'

'En?'

'Ik weet echt niet wat ik moet zeggen. Heb nooit een goed antwoord kunnen bedenken. Hoeveel weet je inmiddels al?'

Ik kookte inmiddels, onthutster en bozer en gekwetster dan ik ooit voor mogelijk gehouden had.

'Ach, je weet wel, de gebruikelijke dingen die iemand op een doordeweekse dag te horen krijgt. Dat ik een tante heb, van wie ik niet wist dat ze bestond, dat ze ernstig ziek is, dat mijn ouders mij MIJN HELE LEVEN LANG voorgelogen hebben!'

Hij knikte en keek me in de ogen.

'Ja, dat is allemaal waar.'

Er klonk een kalmte in zijn stem waar ik niet tegen kon. Het was zo compleet het tegenovergestelde van hoe ik me voelde.

'En, hadden jullie het me ooit nog willen vertellen, of was het zo gepland? Was het makkelijker om me er via een compleet vreemde achter te laten komen dan dat jullie me zelf de waarheid zouden vertellen? Ik bedoel, wat DACHT mam wel niet?'

'Ze is wel je moeder', zei hij, voor de miljoenste keer in mijn leven. En het werd me teveel, dit was de druppel die de emmer liet overlopen.

Tranen drupten uit mijn ogen, waardoor ik alleen nog maar kwader werd. Woest wilde ik zijn, niet zwak.

'Maar daar heb ik niets aan!' riep ik. 'Denk je nou echt dat ik daar wat aan heb? Dat dat zou verklaren waarom ze – jullie – zoiets belangrijks voor mij verborgen zouden houden?'

'Natuurlijk heb je daar niets aan.' Hij leek nu zelf ook bijna te moeten huilen, wat ik behoorlijk verontrustend vond. Een zin was al heel wat voor pap, maar tranen? Echt? 'Ik weet alleen niet waar ik moet beginnen. Hoe ik het je moet uitleggen.'

Ik sprong overeind en liep naar de deur. 'Dan ga ik wel terug naar het verpleeghuis om het haar zelf te vragen.'

'Het verpleeghuis? Heb je Dora gezien?'

'Gezien? We hebben gekletst, we zijn dikke vrienden, volgende week gaan we samen bowlen, om elkaar nog wat beter te leren kennen. Ik heb zelfs verstopt gezeten onder haar bed, terwijl mam met haar praatte.'

Pap sprong nu ook overeind en leidde me terug naar de bank.

'Wacht, Charlie. Voordat je nu rare dingen gaat doen en je moeder overstuur maakt, wacht nog even…'

'Mam overstuur maken!' brulde ik. 'Mam overstuur maken? En ik dan? Hoe denk je dat ik me voel? Zou het misschien kunnen dat ik zelf ook een heel klein beetje overstuur ben? Kunnen we daar misschien ook eventjes bij stilstaan?'

'Natuurlijk kan dat. Ik probeer alleen een beetje de vrede te bewaren hier. Kijken hoe we het het beste kunnen aanpakken.'

'Nou, het beste was geweest als jullie me dit al jaren geleden verteld hadden. Eerlijkheid, dat was het beste geweest. In plaats van een tante te verstoppen achter bloemschiklessen en gipsgietdiploma's, want volgens mij zijn dat toch hele andere dingen.'

Pap keek verslagen, alsof ik hem met een wok op zijn hoofd geslagen had. Hij wist duidelijk niet wat hij met de hele situatie aan moest.

'Ik weet niet wat ik moet zeggen, jongen', zuchtte hij, en ik geloofde hem, echt.

'Vertel me gewoon de waarheid, pap', smeekte ik, 'meer wil ik niet weten. De waarheid. De hele waarheid.'

En dus kreeg ik die.

26

'Dora was dertien toen het ongeluk gebeurde', zuchtte pap. 'Twee jaar jonger dan je moeder.'

Ik dacht aan mijn tante in haar rolstoel, hoeveel ouder ze eruitzag dan mam of pap. Minstens twintig jaar.

'Ze waren erg close, die twee. Altijd al geweest. Je grootouders waren... een beetje apart. Toonden nooit veel genegenheid naar hun kinderen toe, waardoor Dora en je moeder nogal op elkaar aangewezen waren. Snap je wat ik bedoel?'

Ik snapte het niet, maar dat deed er niet toe. Ik wilde dat hij verder ging.

'Ze deden alles samen, waardoor ze niet zoveel vrienden hadden. Maar ze hadden genoeg aan elkaar.'

Mijn benen zwaaiden nerveus heen en weer, waardoor we allebei op de bank heen en weer wipten.

'Allemaal leuk en aardig, pap, maar wat is er nou precies gebeurd?'

Hij kuchte even nerveus, vond het duidelijk moeilijk om verder te gaan, maar besefte ook dat hij geen keus had.

'Het was een ongeluk. Een stom ongeluk dat iedereen had kunnen overkomen.'

Ik maakte een ongeduldige beweging met mijn hand: *Kom op, kom op.*

'Ze hadden samen maar één fiets. Je grootouders waren te krenterig om voor allebei één te kopen, en daarom zat Dora altijd bij je moeder op de stang, wanneer ze ergens naartoe gingen.'

Ik dacht aan Sinus, opgepropt in de bak van het nijlpaard en voelde me een beetje misselijk worden. Misschien wilde ik dit allemaal liever toch niet horen.

'Op een ochtend reden ze zo samen naar school, zoals altijd te laat, omdat niemand de moeite genomen had om ze wakker te maken. Mam fietste dus behoorlijk snel, maar omdat Dora voor haar op de stang zat, zag ze het gat in de weg niet. De fiets kwam erin terecht en beide meisjes werden de lucht in geslingerd. Eerst Dora, daarna je moeder, bovenop elkaar kwamen ze op straat terecht.'

Ik kromp in elkaar. In mijn hoofd zag ik het allemaal gebeuren, maar ik wilde het helemaal niet zien, vooral niet omdat ik wist wat er komen ging.

'Met mam was niets aan de hand, behalve wat schrammen op haar benen en armen, maar Dora had de klap opgevangen en had ook geen helm op. Niemand droeg die toen nog.'

In gedachten zag ik nu het stalen nijlpaard voor me, hoe vreselijk nerveus mam geweest was toen ze hem aan me gegeven had, de eisen die ze gesteld had over helmen en lampen en zo. Voor het eerst begon ik het een beetje te begrijpen.

'Dora bleef lang buiten bewustzijn, Charlie. Maandenlang. De artsen durfden niet eens te zeggen of ze ooit nog bij zou komen. Ze konden zien dat haar hersenen nog actief waren, maar niet hoe erg ze beschadigd waren.'

Het was compleet stil in de kamer. Mijn benen waren gestopt met zwaaien en het enige wat ik rook, was de geur van sojasaus, die opsteeg uit de kleren van mijn vader.

'Wat gebeurde er met mam na het ongeluk?'

'Wij hadden elkaar toen nog niet ontmoet', zuchtte hij, 'dus ik weet alleen wat zij me verteld heeft, maar ze gaf zichzelf volledig de schuld – omdat ze te snel gereden had, omdat ze Dora niet had laten lopen, omdat ze het gat in de weg niet gezien had. Ze nam de complete verantwoordelijkheid op haar schouders en droeg dat gewicht overal met zich mee.'

'Maar opa en oma… die zullen haar toch wel gezegd hebben dat ze er niets aan kon doen?'

Pap schudde zijn hoofd. 'Het waren vreemde mensen, zoals ik al zei. Hard. Meer geïnteresseerd in Dora na het ongeluk dan daarvoor. En ze gaven je moeder de schuld. Ze hadden zoveel kansen om haar te troosten, maar deden het nooit. Met als resultaat dat ze zichzelf alleen nog maar schuldiger ging voelen.'

'Dus dat is het? Sindsdien zit Dora in Eikendonk? Dat is al wel twintig jaar!'

'Bijna, inderdaad. Eerst lag ze nog in een ander ziekenhuis, toen je grootouders nog leefden. Maar toen die overleden waren, besloot mam om samen te verhuizen. Ze had het paranoïde gevoel dat iedereen in hun woonplaats van het ongeluk afwist en was ervan overtuigd dat ze haar allemaal de schuld gaven. Ze had er zoveel last van, dat ze helemaal hierheen verhuisde, ver weg van alle nieuwsgierige blikken. Voor Dora vond ze Eikendonk en ze wist dat het haar elke cent zou kosten die haar ouders hen hadden nagelaten. Een paar maanden later ontmoetten wij elkaar.'

'En toen vertelde ze je meteen alles?'

'Nee. Pas op de avond dat ik haar ten huwelijk vroeg.'

'Dus tegen jou loog ze ook?'

Pap keek een beetje boos. 'Nee, ze loog niet tegen me. Ze wist gewoon niet hoe ze het me moest vertellen. Je moet begrijpen hoe schuldig ze zich voelt. Haar ouders hadden haar zo vaak verteld dat het allemaal haar schuld was, dat ze er zelf in was gaan geloven. Ze was bang dat ik er meteen vandoor zou gaan, wanneer ze het me zou vertellen.'

'Maar dat deed je niet.'

'Nee, natuurlijk deed ik dat niet. Ik accepteerde haar zoals ze is.'

'Maar waarom vertelde ze het mij dan niet?'

'Charlie, ik wou dat ik tien pond gekregen had voor elke keer dat ik haar dat gevraagd heb. Dan hadden we hier niet meer gewoond, dat kan ik je wel vertellen. Je moeder is een gecompliceerde vrouw, trots en bang voor wat de mensen van haar denken.

De enige manier voor haar om ermee om te gaan, was het voor iedereen verborgen houden, ook voor jou.'

'Maar ze moet toch geweten hebben dat ik er uiteindelijk een keer achter zou komen.'

'Ik wist dat en jij ook. Maar zij weigerde het te geloven. En ik moest haar beloven dat ik het geheim zou houden. Fout natuurlijk, maar ik deed het.'

Ik voelde me vreemd, alsof iemand me vol waarheden gestopt had die ik niet wilde horen, waarheden die niet in mijn lijf pasten. Nog nooit had pap zoveel tegen me gezegd en ik wenste dat het ergens anders over gegaan was, maar ik wist nu tenminste dat mam zich in één ding vergiste: hij kon *wel degelijk* net zo goed praten als koken.

'Dus wat doen we nu?', vroeg ik, nog steeds boos maar nu ook verdrietig, om alles.

'Ik wou dat ik het wist', zuchtte hij.

'Zodra mam terug is, zal ik met haar praten.'

'Nee, niet doen', zei hij snel. 'Vanavond nog niet. Laat het eerst een beetje bezinken.'

'Je wilt toch niet dat ik er nu ook nog over ga liegen, pap, of wel? Want ik denk niet...'

'Nee, geen leugens meer. Maar ik heb gewoon een beetje tijd nodig, en zij ook. Het gaat de laatste tijd zo slecht met Dora, dat ze er bijna aan onderdoor gaat. Laat eerst Dora weer een beetje stabiel worden, dan zal ik met je moeder praten, ik beloof het.'

'Echt?'

'Hij hield twee eeltige, verbrande vingers in de lucht en glimlachte.

'Echt. En in de tussentijd ga jij bedenken wat jou weer een beetje gelukkig zou kunnen maken. Wat je maar wilt, jongen, ik doe het voor je.'

Er was helemaal niets wat ik wilde, behalve dan dat dit allemaal een droom zou blijken te zijn, maar ik wist dat pap daar niets aan zou kunnen veranderen. En dus omhelsde ik hem, waarbij ik zijn lichaam een beetje voelde beven en hem dus nog maar wat dichter tegen me aan drukte.

Toen we elkaar eindelijk loslieten, bedankte ik hem voor het feit dat hij me alles verteld had en dat meende ik ook.

Niet alleen omdat hij me de waarheid verteld had, maar ook omdat hij bereid was om mee te helpen met het waanzinnige plan dat volgde.

27

School was te gek. Ik vond het geweldig, genoot ervan.

Nou ja, het was in elk geval beter dan thuiszitten. Beter dan hoe ik me voelde wanneer ik bij mam in de buurt was.

Ik wist niet meer hoe ik me moest gedragen bij haar. Ik was één grote, bubbelende cocktail van gevoelens. Nooit had ik geweten dat ik zo boos, verward, verdrietig, jaloers en zielig tegelijk kon zijn, en ik vond het vreselijk. Ik voelde me als een blikje cola dat continu in het rond getrapt wordt.

Gelukkig ging mam zo op in haar 'cursus' dat ze niets in de gaten had; het leek wel alsof alleen Dora nog maar voor haar bestond.

Er waren inmiddels twee weken voorbij sinds de toeval die mij naar haar toe geleid had, maar volgens pap was de situatie op Eikendonk nog niet veel verbeterd. De toevallen kwamen nu bijna dagelijks en de artsen begonnen zich zorgen te maken over Dora's hart, of dat het allemaal wel aan zou kunnen. Bovendien bestond er een grotere kans op een hersenbloeding. Ik weet dat ik haar nog maar één keer ontmoet had, maar zelfs ik kon zien dat haar fragiele lichaampje dat waarschijnlijk niet aan zou kunnen. Toch probeerde ik ook de positieve kanten te zien: ik *wist* het nu tenminste, pap was nu tenminste op zoek naar een oplossing. Maar tegelijkertijd voelde ik een bepaalde urgentie. Dat als pap nu niet snel iets zou doen, het misschien allemaal wel eens te laat zou kunnen zijn.

Met alle toestanden thuis, ging ik dus bijna huppelend naar school elke ochtend. En ook al werd ik nog steeds af en toe onderworpen aan *The Walk*, deed het geschop me weinig meer nu, het was niets in vergelijking met wat ik te verduren had bij Passie voor Nasi.

Ook Sinus was een enorme steun, hoewel er met hem wel iets vreemds aan de hand leek te zijn. *Quelle surprise.* Eerst dacht ik nog dat Dora's verhaal hem teveel aangegrepen had, maar dat was het niet. Hij gedroeg zich, hoe zal ik het zeggen, abnormaal normaal.

Zo zag ik hem bijvoorbeeld staan praten met andere kinderen op school. Normale gesprekken, waarin zij wat zeiden en hij luisterde, of andersom. De andere kinderen leken al net zo verbaasd als ik. Al gauw ging het gerucht dat hij de eerste ontvanger van een hersentransplantatie was, maar toen hij dat hoorde, lachte hij enkel. Geen enkel teken van verbittering of wrok. Helemaal niets.

En ook het hele gedoe met het notitieboekje was anders: hij haalde het nog steeds af en toe tevoorschijn, uiteraard, maar niet meer zo vaak. Hij liep niet meer de hele tijd rond met zijn neus in het boekje, maar keek nu om zich heen, borst vooruit, knikkend naar de andere leerlingen die hij tegenkwam.

Het was vreemd, anders, beangstigend.

En hij was niet het enige wat anders was op school. Er was nog iets aan de hand, iets wat *iedereen* opviel.

Plotseling verscheen overal graffiti. Het was begonnen met de grote muur bij het plein, met die gigantische 'B', die een week later 'BP' en nog later 'BPC' werd.

En het meest rare aan de graffiti was, dat het steeds diezelfde drie letters waren. Wel op elke muur anders, in verschillende kleuren en letters, maar toch zo vaak dat iedereen ernaar stond te kijken en erover sprak.

Het was vreemd hoe die simpele letters de muren zo konden veranderen, hoe ze ervoor zorgden dat het schoolgebouw een eigen hartslag leek te hebben. Er was geen leerling die niet even stopte, keek en zijn wenkbrauwen goedkeurend optrok.

De leraren vonden het echter minder geweldig. Al gauw werden er spoedvergaderingen belegd om het graffitiprobleem te bespreken.

'Vandalisme!', brulde ons schoolhoofd, Mr. Peach. 'Dom vandalisme!'

Hij daagde de schuldige uit om 'zichzelf bekend te maken', maar niemand meldde zich, hoewel hij of zij waarschijnlijk een staande ovatie gekregen zou hebben van elk kind in de aula. Hier was sprake van een held: wie de artiest ook was, hij of zij zou de andere sekse met een stok van zich af moeten slaan!

Het kwartje viel toen er op een dag een nieuwe tekening verscheen, en dit keer niet enkel 'BPC'. Deze tekening was geweldig. Het eerste wat opviel waren, zoals altijd, de letters – twee meter hoog, in groen, rood en blauw.

Maar links ervan stond nu het silhouet van een jongen die met getuite lippen een stroom bubbels over de letters heen blies. De bubbels bewogen niet, natuurlijk niet, maar ze waren zo mooi getekend dat ze leken te glanzen in het licht, wanneer je erlangs liep.

Niet dat de mensen er *langs* liepen. IEDEREEN stopte om te kijken. Ik ook. Ik kon mijn ogen er niet van afhouden en stopte pas met kijken, toen ik de klas in geroepen werd.

Om meteen in de pauze weer terug te komen, en daarna weer tijdens de lunch en aan het eind van de dag. Iets was bekend aan de tekening, maar ik kon er de vinger niet op leggen.

'Dus je vindt het wel interessant?', vroeg een stem achter me.

Ik draaide me om en zag Sinus staan, duidelijk met zichzelf in zijn nopjes. Waarschijnlijk had hij eindelijk ontdekt hoe hij geld kon verdienen met zijn eigen snot.

'Het is geweldig', zei ik. 'Zo cool. Dit moet ze uren gekost hebben.'

'Hem, niet ze', zei hij zuchtend.

'Hè?'

'Er is geen *ze*, alleen een *hij*', snoof hij. 'Nou ja, ik, om precies te zijn.'

Ik staarde naar de muur en probeerde tot me door te laten dringen wat hij gezegd had.

'Hè?', zei ik nog een keer, bijna even vaag klinkend als Sinus altijd deed. 'Wat zei je nou?'

'Ik zei dat deze kunstenaar alleen werkt. Altijd. Omdat de bemoeienis van iemand anders mijn visie alleen maar zou aantasten.'

'*Jouw* visie?'

Hij gaf me een blik die zei *Snap het dan, idioot*, en dat deed ik tenslotte; eindelijk vielen alle puzzelstukjes op hun plek in de puzzel die zei: 'Sinus is de kunstenaar.'

Zijn bizarre fascinatie voor stenen muren, het notitieboekje, het eindeloze gekrabbel... Eindelijk snapte ik het, nou ja, soort van. Ik begreep nog steeds niet dat mijn vriend, mijn idiote, onhandige vriend, een dergelijk talent kon hebben. Maar waarom zou hij erover liegen?

In mijn opwinding besprong ik hem, omhelsde hem, probeerde hem vergeefs op te tillen. Vanaf een afstandje zag het er waarschijnlijk uit alsof de Concorde een onsuccesvolle comeback gemaakt had.

'Laat me los, wil je?', zei hij blozend. 'Ik hoopte wel dat dit me onweerstaanbaar zou maken, maar niet voor jou!'

'Waarom heb je me dit nooit verteld?', vroeg ik. 'Waarom zou je zoiets geweldigs verzwijgen?'

Hij haalde zijn schouders op, probeerde weer cool te lijken, hoewel zijn mondhoeken nog steeds in een vette grijns omhoog stonden.

'Ik zei je toch dat ik het je zou vertellen wanneer ik er klaar voor was, of niet? *En* dat ik je zou verrassen.'

'Nou, dat is wel gelukt! Maar ben je niet bang dat Peach erachter zal komen? En wat betekent dat "BPC"? Het staat overal.'

'Voor Peach ben ik niet bang', zei hij stoer. 'Niet wanneer het voor een vriend in nood is.'

Ik voelde me enigszins teleurgesteld. Na al zijn gescheld op mij omdat ik nieuwe vrienden maakte, stond hij hier nu zelf zijn best te doen voor een of ander joch uit de bovenbouw of, Sinus kennende, een meisje.

'Voor wie dan?' Ik probeerde om niet te gekwetst te kijken.

'Heb je er eigenlijk wel goed naar gekeken?', lachte hij, terwijl hij mijn hoofd weer richting de muur draaide.

'Natuurlijk wel. Bijna de hele dag.'

'En heb je gezien wat het voorstelt?'

'Ja, een jongen. En bubbels. Heel veel bubbels.'

'En welke *jongen* ken jij die onlangs nog met heel veel bubbels te maken had?'

Niet-begrijpend keek ik hem aan en onverstoorbaar staarde hij terug. Totdat... BENG! Het eindelijk tot me doordrong.

Niet het puntje van zijn neus, maar het antwoord.

Ik. Hij had het over mij. Natuurlijk. Ik had meer bubbels gehad dan er in een levensgrote jacuzzi zitten.

'Dus dit is voor mij? Maar waarom? Ik snap er niets van, Sinus.'

Hij antwoordde met een stem die waarschijnlijk op Yoda had moeten lijken, maar meer weghad van zijn oma aan de helium.

'Veel vragen jij hebben. Tijd dit zal kosten. Maar vertrouwen op Sinus jij moeten.'

Ik gaf hem een ongeduldige stomp. 'Praat normaal, idioot.'

Hij stompte me terug, maar ging tenminste weer normaal praten.

'Au! Je mag de kunstenaar geen pijn doen', kreunde hij. 'Vooral niet wanneer je zijn muze bent. Ik doe dit wel allemaal voor jou, ja!'

'Zoiets zei je al, maar wat *BEDOEL* je daarmee?' Ik snapte er echt helemaal niets meer van.

'Operatie Bubbeltjes Plastic, vriend. Tegen de tijd dat ik hiermee klaar ben, zul jij bijna even cool zijn als ik.'

Tien minuten eerder zou ik die opmerking nog enorm teleurstellend gevonden hebben. Een klap in mijn gezicht.

Maar nu? Met Sinus' nieuw ontdekte talenten?

Misschien, heel misschien, kon hij wel eens een punt hebben.

28

'We kunnen gerust stellen dat jij op het moment het pispaaltje van de school bent', begon Sinus, behulpzaam.

Tot zover klonk dit nog niet echt als een plan. Geen effectief plan, tenminste.

'Maar dat hoeft niet zo te blijven', ging hij verder.

Gelukkig. Dat klonk al beter.

Sinus haalde een gekreukt stuk papier uit zijn broekzak. Het zag eruit alsof het er al weken zat, inclusief drie beurten in de wasmachine.

'Ik neem aan dat je dit gezien hebt?'

'Hangt ervan af wat het is. Geloof het of niet, maar ik heb de laatste tijd wel meer dingen gezien. Ik gebruik namelijk deze dingen, die ook wel ogen genoemd worden – misschien heb je er wel eens van gehoord?'

Met veel bravoure vouwde hij het papier open. Ik deed mijn best om te lezen wat erop stond, maar alle letters leken in elkaar over te lopen, het had net zo goed Sanskriet of dronken gekrabbel kunnen zijn.

'Wat is het?', vroeg ik, mijn hoofd schuin, om toch nog een poging te doen. 'Een of ander heilig document? Want ik geloof niet echt in dat soort dingen.'

Ongeduldig sloeg hij me met het papier om de oren. 'En jij noemt mij een leeghoofd? Heb je dan niets gelezen van wat er op de bulletinborden door de hele school hangt, over wat er over zes weken georganiseerd gaat worden?'

Ik haalde mijn schouders op. De laatste tijd had ik voornamelijk naar de grond gekeken, nadat de andere kinderen me erop gegooid hadden.

'Dit is je kans, Charlie. Wraak. Dit is jouw kans om de coole reputatie die je opgebouwd had terug te winnen. Dit is waar "BPC" om gaat, waarom ik het op alle muren gespoten heb.'

Ik snapte het niet. Hij had net zo goed Swahili kunnen praten, zo duidelijk was het.

'Het *Skatefest*, idioot. Een skatefestival. Tricks, halfpipe-wedstrijden, allemaal gesponsord door een skatebedrijf.'

'Waar?' Opnieuw wierp ik een blik op het affiche, maar nog altijd kon ik er niets van lezen.

'Bovenop het reuzenrad in Londen, nou goed! Waar denk je? In het park, natuurlijk! Ze organiseren er een hele dag omheen met voor elk wat wils. Draaimolens, vuurwerk, je kunt het zo gek niet bedenken.'

Ik wist wat hij wilde zeggen, maar snapte niet hoe het mij zou helpen. Ik had immers geen board meer en al was dat nog wel het geval geweest, dan zou mam me echt niet laten gaan. O ja, en dan was er nog het kleine detail dat de andere kinderen me zo vernederd hadden, de laatste keer dat ik voet op de halfpipe gezet had. Ik probeerde hem deze dingen duidelijk te maken, maar hij wuifde al mijn bezwaren weg.

'Details', schamperde hij. 'Punt één – je hebt wel een board. Die idioten hebben je er immers één gegeven op de dag dat ze je gemummificeerd hebben.'

'Maar dat ding is niets waard', protesteerde ik.

'Dan knappen we het op. Je hebt toch spaargeld? Gebruik het! Punt twee – jouw moeder is zo afgeleid door alles rondom Dora, dat ze het nog niet door zou hebben wanneer je de maaltijden op de rug van een olifant ging rondbrengen. Bovendien heeft je vader je beloofd dat hij ALLES voor je zou doen, wat je gelukkig zou maken. Jongen, dat staat gelijk aan een gouden ticket.

Waarom je hem nog niet om elk PS3-spel dat er bestaat gevraagd hebt, weet ik ook niet. Maar maak er gebruik van – zorg dat hij je helpt om het geheim te houden. Het is niet dat hij nooit iets voor jou geheim gehouden heeft...'

Hij had gelijk. Het voelde vreemd om pap op die manier te gebruiken, maar hij *had* het beloofd.

Maar Sinus was nog niet klaar. 'En punt drie. Ze mogen je dan wel te grazen genomen hebben die dag in het park, maar dat was niet omdat je niet kon skaten – het kwam omdat je moeder zo stom deed. Je kan namelijk wel skaten – ik krijg het bijna niet mijn strot uit, maar je kan het echt. En je mag nu dan misschien bekendstaan als Bubbeltjes Plastic Charlie, maar daar kunnen we een soort geuzennaam van maken. We gaan er gewoon voor zorgen dat het een coole naam wordt, iets om trots op te zijn.'

Ik keek om me heen naar de muren, bedekt met zijn kunst. Het ontwerp was geweldig, maar ik was er nog steeds niet van overtuigd dat hij gelijk had.

'Ik weet het niet, Sinus. Het lijkt me allemaal wat onwaarschijnlijk. Denk je niet dat ze me allemaal uit zullen lachen, zodra ik een voet op die halfpipe zet? En mijn moeder dan? Wanneer dit festival inderdaad zo groot wordt als jij beweert, dan zal zij de affiches ook zien. En dan zal ze zeker achterdochtig worden. Je weet hoe ze is.'

Sinus wierp me een beledigde blik toe. 'Ik kan niet geloven dat je dit zegt, na alle ellende die je mij aangedaan hebt. Eerst foeter je mij uit omdat ik nooit liet zien waar ik goed in was, en nu sta jij hier elk mogelijk excuus te verzinnen om niet te hoeven doen wat je zo fijn vindt!'

'Maar voor mij is het anders.'

'Tuurlijk, joh.' Hij draaide zich om, als om weg te lopen. 'Omdat je denkt dat je beter bent dan ik – dat heb je altijd al gedacht. Maar ik zal je eens wat zeggen, Charlie Han. Ik ga door met mijn graffiti. En niet omdat ik wil dat ze me *aardig* vinden. Maar zodat ze er eindelijk achter zullen komen dat ik al die jaren al mijn middelvinger naar ze opgestoken heb.'

Tjonge, hij meende het nog ook. Plotseling bleek hij allemaal nobele idealen te hebben, waar ik geen idee van gehad had.

'En… mocht ik er een vriendinnetje aan overhouden, nog beter! Ik heb tenslotte ook behoeftes, weet je.'

Ha! Zo kende ik hem weer.

'Maar neem van mij aan, Charlie, dat tegen de tijd dat ik klaar ben, "Bubbeltjes Plastic Charlie" de meest gehoorde woorden hier op school zullen zijn. En als jij daar niet optimaal gebruik van wilt maken, prima. Moet je vooral zelf weten. Maar ik zeg je één ding – een kans als deze krijg je nooit meer. Dus denk er nog maar eens goed over na, oké?'

En nadat hij me nog een keer op de schouder geslagen had ging hij ervandoor, op zoek naar een nieuwe muur, mij achterlatend met een hoop om over na te denken.

29

Ik had geen idee wat ik moest doen.

Sinus' plan was geweldig. En opwindend en misschien ook wel alles veranderend. Maar er kleefden ook grote risico's aan. Vooral wat mam betrof. Nog altijd liep ik op mijn tenen bij haar in de buurt, lettend op gezichtsuitdrukkingen die erop zouden kunnen duiden dat pap haar eindelijk verteld had wat ik wist. Maar het enige wat ik zag was diezelfde mengeling van ijzige irritatie en afwezige bezorgdheid.

Durfde ik in zee te gaan met Sinus, wanneer er al zoveel geheimen waren? Ik probeerde pap nog een keer aan te spreken over Dora, maar zonder succes.

'Wanneer *vertel* je het haar nou, pap?', wilde ik weten.

Elke keer dat ik het vroeg, kreeg ik een ander antwoord.

'Zodra Dora weer stabiel is.'

'Zodra de specialist haar onderzocht heeft.'

'Wanneer Pasen en Pinksteren op één dag vallen.'

'Wanneer ons restaurant een Michelinster krijgt.'

Oké, die laatste twee klopten niet, maar het voelde alsof er elke keer wel weer een betere reden was dan de beste reden van allemaal: de waarheid. En nadat ik nog een keer twee weken gewacht had, besloot ik dat, wanneer pap niet over de brug kwam, ik mee zou doen met Sinus' plan.

En dat pap mijn handlanger zou zijn.

Ik overviel hem ermee toen mam er niet was (waarschijnlijk op ziekenbezoek).

De avondspits in het afhaalrestaurant was voorbij en hij stond het aanrecht te poetsen.

'Je hebt gezegd dat je me zou helpen', zei ik snel, voordat ik me zou bedenken.

'Sorry?' Hij leek verbaasd om me te zien.

'Je zei dat als er iets was wat ik graag wilde, wat dan ook, je me daarbij zou helpen. Weet je nog?'

'Ja, dat weet ik nog', antwoordde hij. Hij begon al een beetje nerveus te kijken, terwijl hij nog geen idee had waar ik naartoe wilde.

'Ik wil weer gaan skaten.' Pas toen ik de woorden hardop zei, realiseerde ik me hoe graag ik het inderdaad wilde. Zo graag, dat het bijna pijn deed.

'O ja?' De toon in zijn stem verraadde niets.

'Meer dan wat dan ook. En binnenkort is er een wedstrijd. En dus moet je me helpen, pap. Je moet me helpen om weer op het skateboard te komen.'

Hij keek alsof ik hem zojuist gevraagd had om de kroon van het hoofd van de koningin te stelen.

'Maar ik weet helemaal niets van skaten, Charlie.'

'Ik vraag je ook niet om me te trainen. Het enige wat je moet doen, is zorgen dat mam er niet achter komt.'

Hij schudde zo hard met zijn hoofd, dat ik bang was dat het eraf zou vallen.

'Dat kan ik niet doen, jongen. Je weet hoe ze erover denkt. Ze zou me hier op het hakblok leggen, wanneer ze erachter zou komen!'

'Maar je hebt het beloofd, pap. Je zei dat je alles zou doen.'

'En dat meende ik ook. Behalve dat.'

Ik had mijn reactie al voorbereid, en hoewel ik het niet echt wilde doen, moest ik hem overtuigen van het tegendeel.

'Oké', zei ik schouderophalend, alsof het me niets kon schelen. 'Dan zal ik mam zelf wel vertellen wat ik van plan ben. Nadat ik haar naar Dora gevraagd heb.'

Pap trok wit weg.

'Dat is niet eerlijk, jongen.'

'Wat? Eerlijk, zoals jullie waren? Ik ben hier niet de enige met geheimen, of wel soms? Vergeleken met jullie stel ik toch niets voor!'

Daar had hij geen antwoord op. Er was ook geen antwoord.

'Wat wil je dat ik doe?'

Ik staarde door het raam naar buiten; het zou nog ongeveer een uur licht blijven.

'Nu nog niets. Maar ik wil dat je vroeger afsluit vandaag.'

'Dat kan ik niet doen, Charlie…'

'Niet voor negen uur. Bovendien is het dinsdag. En niemand wil jouw eten nog zo laat op een dinsdagavond, sorry.'

'Ik denk dat je eerder sorry moet zeggen voor wat je me allemaal wilt laten doen.'

'Dus je doet het?'

'Voor deze keer, ja. Maar een volgende keer wil ik het van te voren weten. Zodat ik iemand kan regelen die het hier van me overneemt.'

'Dankjewel, pap.' Ik begon te lachen. 'Dan zou ik de autosleutels maar vast klaarleggen. Zodra het donker is, gaan we.'

De koplampen werkten perfect. Met het grote licht aan verlichtten ze de halfpipe precies goed. Het was geen probleem geweest om de auto zo dichtbij te krijgen; al jarenlang werd het park door stelletjes gebruikt om op de achterbank te rollebollen, dus pap had enkel de voorwielen tegen het hek aan hoeven parkeren en de koplampen aan hoeven doen.

Maar hij was er niet blij mee. Aanvankelijk bleef hij zitten, de handen stijf om het stuur heen geklemd, waardoor de knokkels eerst wit en toen blauw werden. Maar na een paar minuten was het hem allemaal teveel geworden en had hij me vergezeld bij de halfpipe.

'Pas in vredesnaam goed op dat je er niet af valt, oké?', gromde hij.

'Dat kan ik je niet beloven', grijnsde ik, terwijl ik het belachelijke board controleerde dat de jongens me gegeven hadden. 'Dat is juist vaak wat het zo leuk maakt.'

'Je moeder vermoordt me, wanneer ze erachter komt.'

'Dan bevind je je in een moeilijk parket, aangezien ik je wat aandoe wanneer je me niet helpt. Het liefst had ik hem nog gevraagd voor wie van ons hij het meest bang was, maar we wisten allebei wel wat daarop het antwoord zou zijn.

We grijnsden naar elkaar. 'Lastig hè, pap? Al die morele dilemma's…'

'Wat denk je zelf?'

Ik antwoordde niet. In plaats daarvan zette ik mijn voeten op het board en zette af, genoot van de kick van de rollende wieltjes onder me. Ik was vergeten hoe goed het voelde. Hoe ik me thuis voelde op zo'n board.

Natuurlijk was het een minder goed board dan mijn vorige. Ik had inmiddels de plank die ze me gegeven hadden wat aangepast, maar de wieltjes draaiden nog steeds niet geweldig. Voor nu voldeed het echter. En misschien dat ik pap, wanneer hij helemaal om was, zou kunnen vragen waar mijn echte board verstopt was. Mocht hij dat al weten.

Ik rolde door het park, de koplampen van de auto zorgden voor lange, spookachtige schaduwen op het asfalt. Eerst liet ik mezelf nog voorzichtig over de hellingen van het oude pierenbadje gaan, om mijn zelfvertrouwen weer een beetje terug te krijgen, maar na een minuut of twintig ging ik echt los, voelde hoe de lucht tussen mijn board en de grond door suisde.

Eerst dacht ik nog dat ik een beetje te enthousiast aan het worden was, toen ik de plotseling allemaal opgewonden kreetjes hoorde. Totdat ik me realiseerde dat ik het niet was, maar pap, die zichzelf niet meer in kon houden.

'Voorzichtig nu', smeekte hij, terwijl ik langs hem heen schoot. Hij stond zelfs een beetje raar, in een poging om mijn gebogen houding na te doen, alsof hij zelf op een board stond. Het zag er lachwekkend uit en dat zei ik hem ook.

'Hé, pap?', grinnikte ik, toen mijn benen eindelijk moe begonnen te worden. 'Waarom probeer jij het niet even?'

'Dat lijkt me geen goed idee, Charlie.'

'Kom op. Ik moet de liefde hiervoor toch van iemand hebben. Dus misschien ben jij dat wel, ben je je er alleen niet van bewust.' Ik had niet verwacht dat hij makkelijk over te halen zou zijn, maar ik was ook zeker niet van plan om het zomaar op te geven. Hij had nog steeds heel wat goed te maken bij me. Dus na een minuut of tien plagen, smeken en tenslotte keihard dreigen, had ik hem zover dat hij voorzichtig op het board ging staan, zijn armen om me heen voor steun.

'En wat moet ik nu doen?'

'Roeien, natuurlijk!', grapte ik. 'Wat denk je zelf? Je gaat staan en zet met je ene voet af.'

Natuurlijk wist ik dat het niet zo simpel was. Daarvoor had ik genoeg blauwe plekken opgelopen in het verleden, maar ik was niet van plan om dit pareltje van wijsheid met hem te delen. In plaats daarvan keek ik toe hoe hij wiebelde en zwaaide net als ik destijds, fanatiek wuivend met zijn armen, toen ik hem eindelijk aan het rollen had.

'Te snel. Te snel!', gilde hij eerst nog, maar na een tijdje ontspande hij een beetje en zag ik hem zelfs even glimlachen, voordat hij op zijn gat viel.

Ook ik moest lachen. Ik kon me de laatste keer niet herinneren dat ik hem had zien glimlachen, behalve dan om eten dat hij ge-kookt had. Er waren gewoon te weinig herinneringen aan hem, waarbij hij niet achter zijn wok stond. Ik hoopte maar dat hij dat nu zelf ook inzag. Ook al zou hij morgen helemaal bont en blauw zijn.

Zo bleef ik hem nog even martelen, totdat hij zich zorgen begon te maken over de accu van de auto, wat ook in mijn ogen een goede reden was om te stoppen. Stranden tijdens ons eerste uitje naar het park leek me geen goed plan.

'Dankjewel voor vanavond, pap', zei ik, terwijl ik hem voor de twintigste keer van de grond plukte. 'Zonder jou was het niet gelukt.'

'Ik word er wel nerveus van, Charlie, van dit allemaal.'

'Dat weet ik toch. Ik ook, maar daarom moet ik het juist doen. Een mens kan tenslotte niet altijd bang blijven, of wel?'

Hij wierp een blik op de halfpipe. 'Maar ik ben blij dat je je daar vanavond nog niet op gewaagd hebt.'

De helling torende boven ons allebei uit, lonkte naar me, daagde me uit om er een voet op te zetten. Ik rilde bij de gedachte aan wat daar de laatste keer gebeurd was.

'Ik ook. Ik denk niet dat onze zenuwen dat nu al aan zouden kunnen.'

Pap zuchtte van opluchting.

'Volgende keer, oké?', knipoogde ik.

Hij knikte, in de wetenschap dat er inderdaad, helaas, een volgende keer zou komen.

'Ik kan niet wachten' zei hij, terwijl hij me tegen zich aantrok en mee terug nam naar de auto.

30

Ik had blijer moeten zijn, dat wist ik. Ik wilde geen ondankbaar klein rotjoch zijn, niet met een beste vriend die bezig was met de voorbereiding van de comeback van de eeuw en een vader die alle belachelijke dingen deed die ik hem vroeg.

Maar ik kon er niets aan doen. Het voelde gewoon allemaal een beetje... overweldigend. Het plan, het geheimzinnige gedoe en, natuurlijk, het feit dat ik nog altijd midden in de ALLER-GROOTSTE leugen ooit leefde.

Skating was het enige wat me nog een beetje troost bood.

Want wanneer ik op mijn board stond, dan kwam mijn hoofd tot rust. Dan vergat ik even om me zorgen te maken over mam bij de halfpipe, of over Dora die zielig in haar rolstoel zat.

Maar zodra het board weer opgeborgen was, was het een ander verhaal. Dan vulde mijn hoofd zich met teveel emoties: schuld, woede, jaloezie zelfs, omdat ik buiten iets belangrijks gehouden was.

Het voelde alsof alles wat ik wist in de lucht gegooid was en ik nu alleen nog maar als een idioot in het rond aan het rennen was om weg te duiken voor alle leugens die overal om me heen insloegen.

De waarheid leidde me af, op school struikelde ik weer over mijn eigen voeten, was ik weer de oude vertrouwde, onhandige Charlie. En meteen sprongen de hyena's er natuurlijk weer bovenop.

Maar ik merkte niet eens meer hoe lang *The Walks* waren. Zelfs bont en blauw geschopte scheenbenen deden op een gegeven moment geen pijn meer – maar de pijn die mam veroorzaakt had, zorgde ervoor dat ik het liefst de hele dag door in elkaar kromp. Bij haar in de buurt zijn was het moeilijkst. Ik had pap beloofd dat ik hem meer tijd zou geven, maar normaal proberen te doen in haar bijzijn bleek bijna onmogelijk. Ik was nu eenmaal niet zo'n goede leugenaar als zij was.

'Heb je weer cursus vanavond?' Ik merkte dat ik haar steeds meer vragen begon te stellen. Niet dat ik verwachtte dat ze plotseling met de waarheid zou komen; het was meer dat ik mezelf er telkens weer van wilde overtuigen hoe kwaad ik eigenlijk op haar was.

'Jazeker', antwoordde ze, volledig kalm.

Ik zocht naar signalen die haar zouden verraden: nerveus heen en weer schietende ogen, het wrijven over een oor, ongemakkelijke kuchjes wanneer ze weer een nieuwe leugen uitgekraamd had. Maar er was niets. Helemaal niets.

Het maakte dat ik me afvroeg wat ze me nog meer niet vertelde. Lagen er misschien lijken verborgen onder de houten vloer? Haar ouders, misschien? Was ze op een dag zo gek van ze geworden, dat ze ze had doodgeslagen?

Goed, ik stelde me aan natuurlijk, maar het gaf aan hoezeer ik in de war was.

Niet dat zij het in de gaten had.

'En jij, Charlie? Wat ga jij doen vandaag?'

Ik zweeg even. De waarheid brandde me op de tong en ik voelde een enorme behoefte om haar te vertellen dat ik zou gaan skaten. Op die manier zou ik zeker een ruzie veroorzaken en kon ik eindelijk de waarheid uit haar trekken.

'Nog een stuk toast?', onderbrak pap me, terwijl hij me met grote ogen, half smekend, half dreigend aankeek. Hij wist dat ik op het punt gestaan had om alles te vertellen. Wist dat hij degene zou zijn die alle scherven zou mogen opruimen na afloop.

Ik was blij dat hij wist hoe ik me voelde. Wilde niet dat hij zelfgenoegzaam zou worden en voorbij zou gaan aan het feit dat hij vroeg of laat toch echt met mam zou moeten praten. Want op een gegeven moment zou ik het echt niet meer kunnen houden. Dan zou ik geen keus meer hebben.

'Charlie en ik gaan samen wat doen, nietwaar?', zei pap.

'Wat leuk', antwoordde ze. En ze keek nog alsof ze het meende ook.

'Jammer dat die cursus je zoveel tijd kost, mam.' Ik wilde haar uitdagen, haar nog een leugen laten vertellen. 'Hoe lang duurt het nog voordat je ermee klaar bent?'

'O, dat duurt nog een hele poos. De examens zijn pas over een paar maanden.'

Ik voelde hoe een touw van woede zich om mijn ribben spande, en vervolgens paps geruststellende hand op mijn schouder.

Maar terwijl ze opstond van haar stoel, meende ik tranen in haar ogen te zien. Ik staarde haar aan en ze merkte het, probeerde te doen alsof ze moest gapen, zodat de tranen daardoor leken te komen.

Dit was het. Een moment om aan te vallen, een teken van zwakte. Wanneer ik maar hard genoeg aandrong, of gewoon vertelde dat ik alles wist, dan zou ze het nu zeker niet meer ontkennen. Dan zou ze dat niet meer kunnen.

Mijn hart begon te bonken bij het vooruitzicht, maar terwijl de woorden zich al vormden in mijn hoofd en op weg waren naar mijn mond, draaide ze zich om, waarbij een tweede traan over haar wang rolde. Ze probeerde hem niet eens meer weg te vegen. En dat was het. Al mijn moed was verdwenen, het moment was voorbij. Ik was net zo zwak als zij. Het enige wat ik kon doen, was de waarheid inslikken als een of andere zware bowlingbal en toekijken hoe ze haar tas en jas pakte.

Terwijl de deur achter haar dichtviel, zuchtte pap luid, waarbij hij er bijna net zo gebroken uitzag als zij.

'Dank je, jongen.'

'Wat had ik anders moeten doen?'

Maar ik wist niet zeker of ik het nog een keer zou kunnen. Wist niet zeker of ik nog een leugen aankon. Niet wanneer ze zo zwaar wogen.

Uiteraard bracht ik de dag niet door met pap. Ik liet hem zijn frustraties uitleven op een stuk vlees dat groot genoeg was om van een beer afkomstig te kunnen zijn en haalde mijn board vanonder de struik tevoorschijn. Ik wist niet eens zeker of het me nog wel wat kon schelen of iemand me zag.

Ik gooide het board op de grond, sprong erop en zette af. Langzaam voelde ik mijn onrust verdwijnen. Ik sprong van het trottoir de weg op, voelde mijn hoop toenemen terwijl ik de mensen voorbij stoof. Ik voelde me goed, levendig, weer rustig worden.

Ik had geen bepaalde route in gedachten, of tenminste, dat dacht ik. Maar misschien kwam het toch niet als een verrassing toen ik me plotseling aan de andere kant van de stad bevond, toen mijn linkervoet pas stopte met afzetten op het moment dat het board tot stilstand kwam tegen een ijzeren hek, waaraan een bord met de tekst 'Eikendonk' hing. Nahijgend liet ik mijn voorhoofd ertegenaan rusten, terwijl ik mijn blik over het perceel en het huis erop liet gaan.

Het was niet dat ik Dora helemaal vergeten was, hoewel het makkelijk geweest was om haar compleet uit het oog te verliezen te midden van alle drama. Toch was haar beeld telkens weer in mijn hoofd opgedoken: haar gelijkenis met mam, maar ook de verschillen, hoe fragiel ze was, even onopvallend als mam aanwezig. Ik had al veel eerder een keer terug willen komen om bij haar te zitten. Misschien was er iets wat ze me kon vertellen; zij en mam leken tenslotte met elkaar te kunnen communiceren. Maar dan dacht ik weer aan al die deuren die je door moest om bij haar te komen, de verpleegsters en de mensen achter de receptie. Het zou niet makkelijk zijn om me daar nog een keer langs te bluffen. Niet zonder Sinus en zijn stalen zenuwen, tenminste.

Maar voor één keer zag het er een keer zonnig uit voor me, letterlijk ook. De tuin lag loom te bakken in de hitte. Eén plekje, in de buurt van een enorme eikenboom, leek zelfs extra te stralen, omdat ik daar een rolstoel geparkeerd zag staan met daarin een klein, ineen gedoken figuurtje. En meteen wist ik dat het Dora was.

Ik bekeek de rest van het perceel, zag een man in donkerblauwe kleding richting het huis lopen.

Ik spiedde elke vierkante meter van de tuin af, in de wetenschap dat mam elk moment zou kunnen verschijnen, dat dit niet het moment voor een bezoekje was.

Maar toch liep ik even later over het gras. Misschien kwam het omdat het me allemaal niets meer kon schelen. Misschien wilde ik wel dat mam me zou betrappen. Wilde ik het afdwingen. Eindelijk open kaart spelen.

Net toen de man uit het zicht verdween, kwam ik bij Dora aan. Maar terwijl ik nog een laatste keer over mijn schouder keek om te controleren of ik echt alleen was, struikelde ik over haar rolstoel.

En alsof dat nog niet erg genoeg was, schrok ze met een gil wakker, ogen wijd open gesperd. Ik rolde over haar schoot heen, wanhopig proberend om zo min mogelijk contact te maken, en viel op de grond.

Was dit hoe het zou eindigen – gearresteerd voor het pletten van de tante die ik nooit gekend had? Waarom moest ik ook altijd zo onhandig zijn?

In elkaar gedoken bleef ik op het gras liggen, totaal ontdaan, totdat ik een geluid hoorde.

Geen uitroep van pijn of angst, maar een diep, rollend geluid. Het soort geluid dat normaal vergezeld gaat van bliksemschichten. Ik keek op naar de rolstoel en zag Dora's hoofd in een ongemakkelijke houding, maar haar ogen dansten en haar mond stond wijd open. Haar lach weerkaatste tegen de boomstam, langs me heen en richting het huis.

We waren waarschijnlijk een vreemd gezicht: ik, niesend, languit op het gras, mijn board omgekeerd op haar schoot, wieltjes rustig draaiend. Op dat moment leek zij beter in staat om wat tricks te doen dan ik.

Ik wierp een blik over mijn schouder, richting het huis, maar er was nog steeds niemand te zien. Ik had dus een beetje tijd, maar geen idee wat ik haar moest vragen, of wat voor antwoorden ik kon verwachten.

Het enige wat ik kon doen was beginnen met het meest voor de hand liggende. Dat was tenminste iets waar ik goed in was.

'Hallo, tante Dora', grinnikte ik, terwijl ik mijn rug strekte. 'Kent u me nog?'

Ze keek me doordringend aan, ogen tot spleetjes geknepen, voordat ze van oor tot oor begon te grijnzen.

Ik kon het natuurlijk mis hebben, maar ik durfde te zweren dat ze knikte, bovendien kon ik aan haar ogen wel zien dat ze me herkend had.

En op dat moment wist ik dat het goed was dat ik gekomen was. Wist dat ik het recht had om ook even te blijven. Ook al betekende dat misschien dat ik betrapt zou worden.

Omdat tante Dora het fijn vond dat ik er was.

31

Bijna een uur zat ik daar op mijn skateboard aan tante Dora's voeten, pratend alsof ze mijn therapeut was in plaats van een lang verloren familielid.

Veel antwoorden gaf ze niet, maar ik wist dat ze luisterde. Haar ogen lieten de mijne geen moment los.

'Wat ik niet snap', ratelde ik, inmiddels lekker op dreef, na mijn onhandige start, 'is waarom ze het me nooit verteld hebben? Ik bedoel, het is niet dat ik een klein kind ben – ik zou echt niet ingestort zijn of zo. En wat dat hele gedoe betreft dat mam zichzelf de schuld geeft van... nou ja, u weet wel. Dat is toch onzin, of niet soms? Alsof ik ooit zou geloven dat ze u *expres* wat zou hebben aangedaan!'

Ik zweeg even, vroeg me af of ik misschien te ver gegaan was, of ze nog wel kon volgen wat ik allemaal zei.

'*U* weet toch wel dat het een ongeluk was, toch, Dora?'

Ik keek of ik een teken zag, maar los van de tics en spasmes waarvan haar lichaam af en toe last leek te hebben, was er niets waarvan ik zeker kon zijn. Behalve dan haar ogen, die de hele tijd oprecht en geconcentreerd keken. Wanneer het mogelijk was dat ogen konden glimlachen... nou, die van haar straalden.

'Ik hoop dat u me gelooft', voegde ik er snel aan toe. 'Dat ik het niet wist. Ik wil niet dat u denkt dat ik... u weet wel, me schaamde of zo. Omdat u hier zit. Want dat kan me echt helemaal niets schelen. Wanneer ik het geweten had, dan was ik hier tenminste elke week een keer langsgekomen. Dat weet u toch wel, hè?'

Haar linkerbeen schoot van het voetensteuntje af en haar voet raakte mijn knie, vol op een vervagende blauwe plek. Ik probeerde om niet in elkaar te krimpen. Dat zou niet helemaal gepast geweest zijn, gezien de pijn die zij waarschijnlijk continu leed. Bovendien vertrok haar gezicht nu in de grootste, grappigste grijns die ik ooit gezien had. Het was moeilijk om te kreunen wanneer iemand zo vrolijke keek.

'Ik ga er maar van uit dat dat een ja was', zei ik snel, waarna ik die diepe, rollende lach weer hoorde opborrelen.

Daarna voelde ik me wat meer op mijn gemak en kletste ik honderduit. Over hoe het nieuws wel wat dingen duidelijk gemaakt had, het feit dat mam altijd zo overbezorgd was, bijvoorbeeld.

'Ik wou dat ik erbij geweest was, weet u. Die dag dat het gebeurde. Ik weet dat het stom klinkt, maar het is waar, want als iemand anders het ongeluk had zien gebeuren, dan zou diegene mam hebben kunnen vertellen dat het niet haar schuld was, maar gewoon stomme pech. Volgens pap is het grote probleem, dat ze de gebeurtenissen telkens opnieuw in haar hoofd blijft afspelen, waarbij haar aandeel elke keer erger wordt. Alsof ze een of andere moordenaar is of zo. Geschift, ik weet het.'

Dora kreunde, lang en jammerend, en een bijzonder heftige tic trok door de hele linkerhelft van haar lichaam.

'Rustig maar. Ik weet zeker dat u haar dit ook al vaak genoeg hebt proberen te zeggen. Jullie hebben er vast al heel wat keren ruzie over gemaakt, of niet? Want als u ook maar een beetje op mam lijkt, dan weet ik wel zeker dat u zich niet zo snel gewonnen geeft.'

Opnieuw die lach, plus een priemende blik, een duidelijk teken dat er een stortvloed van woorden was, die haar gehandicapte lichaam haar niet kon laten uitspreken.

'Het is al goed, tante Dora', zei ik, terwijl ik voorzichtig even in haar hand kneep. 'U hoeft het niet uit te leggen. Ik begrijp het. Echt waar.'

Daarna wist ik niet meer wat ik moest zeggen; hoe ik het gesprek gaande moest houden, of dat ook wel moest. Ik was bang dat ik haar misschien te veel belast had. Pap had me tenslotte duidelijk verteld hoe ernstig haar epilepsie was.

En dus bleven we zwijgend zo zitten, haar stoel af en toe krakend, wanneer ze wat heen en weer schoof. Maar het was geen ongemakkelijke stilte, waarvan ik het gevoel had dat ik hem moest verbreken. In plaats daarvan keek ik naar haar, naar de manier waarop ze haar hoofd hield, de manier waarop haar ogen naar boven keken, naar het plezier dat ik erin meende te zien wanneer ze de vogels tussen de eikenbomen heen en weer zag vliegen. Ze *leek* geen pijn te lijden, en mocht dat wel zo zijn, dan was ze een expert in het ermee leven of in het negeren ervan.

Ik volgde haar blik, probeerde te zien wat zij zag, en na een paar minuten naar de wiegende takken gestaard te hebben, voelde ik een rust die ik nog niet kende. Zo overweldigend, dat ik bijna dreigde weg te dommelen. Ik schrok op van een stem en wist ik niet hoe snel ik overeind moest springen.

'Heerlijk plekje, niet? Perfect voor een dutje.'

Ik had geen idee wat er aan de hand was. Heel even dacht ik dat het Dora was: dat ze me al die tijd voor de gek gehouden had. Maar terwijl ik mijn wazige blik weer op haar vestigde zag ik de man, dezelfde die ik eerder in het huis had zien verdwijnen, leunend op de rug van Dora's rolstoel. Glimlachend drapeerde hij een vest rond haar schouders.

Wat moest ik zeggen? En hoe moest ik het zeggen, zonder compleet schuldig te lijken?

'Geen paniek', hij maakte een wegwuivend gebaar met zijn hand. 'Tien minuten hier, op een dag als vandaag? Ik zou ook een dutje doen.'

'Ik sliep niet', stamelde ik, alsof het daar nu om ging. 'Ik wilde alleen…'

'Ik weet het, je ogen een beetje laten uitrusten, toch? Dora doet dat blijkbaar ook vaak. Of niet soms, vriendinnetje van me?'

Terloops veegde hij een beetje kwijl weg bij haar mond. 'Zelfs wanneer ze weet dat er dingen gedaan moeten worden. Die aardappelen schillen zich niet zelf, weet je? Tom', glimlachte hij, terwijl hij zijn hand uitstak. 'Uitzendkracht. Ik val in tijdens de vakanties.'

Ik zei niets. Pakte alleen slap zijn vingers beet en schudde.

'En dan zeg jij…?'

'Huh?', antwoordde ik, terwijl ik zijn hand losliet.

'Je weet wel, zeggen hoe je heet. Naam, nummer, positie? Ik wil je niet onder druk zetten, maar volgens mij is dat hoe het hoort.'

'O, ja, natuurlijk. Charlie.' Hoe stom was dat? Ik had hem elke willekeurige naam kunnen geven.

'En hoe ken jij Dora? Familie? Vriendje?' Plagend klopte hij haar op haar schouder. 'Jij kleine ondeugd.'

'Ha, nee, ik ben bang dat ik een beetje te oud ben voor haar. Ik ben hier alleen om…'

Denk na, Charlie, denk na! 'Mijn, eh, oom woont hier. Daar, op de bovenste verdieping.' Ik wees naar het huis, alsof ik wist waar ik het over had. Voor hetzelfde geld wees ik de toiletten aan.

'Ah, oké.' Hij klonk overtuigd, maar zijn gezicht was dat niet.

'Ja, ik kom hier al heel lang. Daarom ken ik Dora dus een beetje…'

'Dat zie je', zei hij, terwijl hij me nog altijd wat peinzend aankeek. 'Jullie zien eruit alsof jullie elkaar al jaren kennen.'

Even was het stil. Het liefst was ik er zo snel mogelijk vandoor gegaan.

'Goed, laat je door mij verder niet storen', zei hij tenslotte. 'Je hebt tenslotte weinig te lachen gehad de laatste tijd, nietwaar, Dora? Jij kunt iemand als Charlie goed gebruiken. Iemand die je hier even vandaan kan halen. Die je even aan iets anders kan laten denken, hè?'

Hoopvol keek hij me aan. 'Dat kun jij toch, Charlie?'

Ik knikte met grote ogen, terwijl ik zijn woorden tot me door liet dringen.

Ik was hier gekomen voor antwoorden, maar vertrok met iets veel belangrijkers. Iets veel spannenders.

Ik vertrok met een plan.

32

'Zo'n stom, krankzinnig idee heb ik zelfs van jou nog nooit gehoord.'
Ik haalde diep adem, probeerde rustig te blijven. Feedback vragen aan Sinus was nu eenmaal nooit zonder risico.
'Dacht je nu echt dat je je tante ongestraft uit dat verpleeghuis
kunt halen? Wat denk je dat de verpleegsters doen wanneer ze
jou met haar over je schouder over de muur zien klimmen? Iets
zegt me dat ze niet met een laddertje zullen komen om je te
helpen. Eerder met een dwangbuis, denk ik zo. En NIET voor
haar!'
'Ze is ziek, Sinus, niet gek. Bovendien hebben ze daar geen
dwangbuizen, dat weet je best.' Ik probeerde om mijn frustratie
niet op hem af te reageren, maar een ander idee had ik niet. En
ik had mezelf er al van overtuigd dat het perfect was. Want als
het zou lukken, zou ik niet alleen mam kunnen laten zien dat ik
op de hoogte was van haar geheim en dat ik er vrede mee had,
maar dan zou ze zich ook meteen realiseren dat mijn eigen geheim geen kwaad kon. Een win-winsituatie dus eigenlijk.
Het enige wat ik moest doen op de dag van het Skatefest, met hulp
van Sinus, was Dora voor een paar uurtjes lenen van Eikendonk.
Lang genoeg om haar naar het park te krijgen en tussen het publiek neer te zetten, dat waarschijnlijk uit heel wat mensen zou
bestaan.

Wanneer ik dat voor elkaar zou krijgen en ook mam naar het park zou kunnen lokken, dan zou ik haar op die manier kunnen laten zien dat ik alles wist.

'Je hebt je moeder toch wel eens ontmoet, of niet?' ging Sinus sarcastisch verder. 'Je weet dus dat ze, hoe zal ik het zeggen... o, ja, een enorme controlfreak is? Denk je echt dat ze zich in zal houden als jij haar ten overstaan van iedereen die ze kent voor schut gaat zetten?'

'Dat is precies het punt, Sinus. Volgens mijn vader vindt ze gezichtsverlies het ergste wat er is. Ze zal het dus verschrikkelijk vinden, daar twijfel ik niet aan, maar je hebt Dora zelf gezien – het is niet alsof die drie hoofden heeft of zo. Zodra mensen haar zien, zullen ze haar accepteren. Meer nog, ze zullen haar geweldig vinden. En als mijn moeder dat ziet, vergeeft ze het me misschien.'

'Genoeg om je meteen tot boven in de halfpipe te laten klimmen? Jongen, echt, ik denk dat je even moet gaan liggen. Bij elke beweging die je mond maakt, wordt dat idee van jou minder geloofwaardig.'

'Dus dat is het?' vroeg ik gedesillusioneerd. 'Dat is je officiële antwoord? Het evangelie volgens Sinus? Nou ja, als je me nog niet eens wilt helpen wanneer ik je een keer ECHT nodig heb, dan moet je dat vooral zelf weten. Maar ik ga het toch doen.'

Hij keek me aan alsof ik gestoord was, maar toen verzachtte zijn blik. 'Wie zei er dat ik niet wilde helpen? Je plan mist alleen nog wat finesse. Maar daarvoor ben je bij mij aan het juiste adres.'

En daarmee was het een deal. Ik had groen licht. En meteen kreeg ik het toch wel weer benauwd.

Maar Sinus hield zich aan zijn woord. Tot op het irritante af. Hoewel ik natuurlijk heel goed besefte dat hij, door mij te helpen, zichzelf uiteindelijk ook hielp. Hij zag zichzelf al helemaal voor zich, met een kudde meisjes achter zich aan. Maar daarvoor, en zodat ze zijn neus even zouden vergeten en zijn (ergens diep vanbinnen verscholen) zorgzame ziel zouden ontdekken, was wel een plan van epische afmetingen nodig.

Langzaam kreeg het plan vorm, al leek Dora wegsmokkelen uit Eikendonk in eerste instantie niet echt zijn prioriteit te hebben. Ik kon alleen maar hopen dat hij dit aspect niet vergeten was, terwijl hij onze school de meest radicale facelift ooit gaf. Echt, je wist niet wat je zag.

Geen idee hoe hij het voor elkaar kreeg, zowel wat tijd betreft als wat betreft het aantal spuitbussen verf die hij ervoor had moeten kopen, maar tijdens de daaropvolgende tweeënhalve week veranderde de school langzaam in een soort bubbeltjesplastic sprookjesland. Overal verschenen zijn tekeningen. Muren, hekken, doelpalen, er was niets wat Sinus niet durfde aan te pakken. En daarbij bleef het niet: hij ging ook nog eens digitaal. Elke keer als een leraar een smartboard aanzette, verscheen er weer een 'BPC', de informatie op het plasmascherm in de kantine werd regelmatig door hem gehackt en op de een of andere manier kreeg hij het zelfs voor elkaar om zijn tekeningen toe te voegen aan een presentatie die Mr. Peach hield voor de hele school.

'VANDALISME!' brulde de oude man. Het was inmiddels een soort leus van hem geworden. Nog even en hij zou nog eindigen als louche spelletjesshowpresentator in plaats van als seniele bovenmeester.

'Sommige mensen, de wat dommeren onder ons, noemen het misschien kunst, alsof het wat waard zou zijn, terwijl het enkel onze gebouwen degradeert, en ons daarmee ook, tot het laagste van het laagste. En dus verwacht ik van jullie, als verantwoordelijke leerlingen van deze school, eis ik van jullie dat jullie waakzaam zijn en hem of haar bij mij aangeven, zodat ik de kwestie kan afhandelen.'

En met die woorden wilde hij weer terugkeren naar zijn Power-Point afbeeldingen, maar elke keer als hij ergens op klikte, verscheen er weer een nieuwe geweldige, verbazingwekkende tekening, de een nog schitterender dan de ander, totdat, terwijl Peach nog als een waanzinnige met zijn afstandsbediening stond te zwaaien, het dak van de school er bijna af ging.

Zoiets had ik nog nooit gehoord. Niet tijdens een samenkomst, niet binnen het schoolgebouw, zelfs niet toen een stagiaire een keer per ongeluk een doorzichtige blouse aangetrokken had tijdens een Frans examen in de derde klas.

Er werd zo hard geapplaudisseerd, gejuicht en gejoeld, dat ik op het laatst bijna een staande ovatie verwachtte. En te midden van dat alles zaten Sinus en ik, totaal verbluft. Nou ja, ik dan. Sinus zat zoals altijd weer zelfgenoegzaam te grijnzen, genietend van alle bewondering.

De rest van die dag was het onrustig op het schoolplein. Groepjes leerlingen verzamelden zich voor de verschillende tekeningen, om ze te analyseren en zich te buigen over de vraag wie er toch voor verantwoordelijk kon zijn, wat dat 'BPC' toch betekende. Niemand kwam ook maar in de buurt en grijnzend keken wij toe hoe iedereen het mysterie te lijf ging alsof het een sudoku betrof.

Bij de laatste bel voelde ik een ongebruikelijke, unieke sensatie. Een vreemd gevoel van droefheid omdat de dag voorbij was. Wanneer dit een voorbode was van hoe het zou zijn na het Skatefest en nadat ons plan gelukt was, dan moest ik toch maar eens dringend gaan oefenen. Nu zou ik het me zeker niet meer kunnen veroorloven om het te verpesten. Mislukken was geen optie.

33

De drie daaropvolgende weken had ik het er maar druk mee.

Er was heel veel te doen, maar mij hoorde je niet klagen. Nooit verloor ik uit het oog waarvoor ik het uiteindelijk deed: wraak, eerherstel, meisjes voor Sinus en, het allerbelangrijkste, een kans om het net van leugens te doorbreken, waarin mijn familie verstrikt geraakt was. Alleen dat al was het risico waard.

Om te beginnen stortte ik mij volledig op het skaten. Het was niet nodig om het vooroordeel dat iedereen al over mij had nog eens te bevestigen door tijdens het Skatefest onderuit te gaan. Dan zou ik net zo goed helemaal niet kunnen gaan. Nee, ik moest scherper zijn dan ik ooit geweest was, wat inhield dat ik elke vrije minuut, elke seconde moest aangrijpen om aan mijn techniek te werken.

En dat deed ik dus ook, ook al liep ik daarbij soms het risico dat ik door mam betrapt zou worden. Ik probeerde de kans daarop zo klein mogelijk te houden door kleren te dragen die ze niet zou herkennen: een baggy spijkerbroek met hoodie van Sinus en een met bont afgezette kozakkenmuts met oorflappen die pap in de winter wel eens droeg. Ik mocht dan wel zweten als een gek in de zon, maar het was het me waard, aangezien het me de anonimiteit verschafte die ik nodig had.

Op mijn skateboard croste ik de hele stad door, wetende dat ik de halfpipe pas op kon wanneer het donker was, en ook dan alleen maar met de clandestiene hulp van mijn vader. Wanneer ik wist dat mam in het ziekenhuis was, werkte ik aan mijn conditie en evenwicht, door tussen geparkeerde auto's door te slalommen, om buggy's of rijen voor de bushalte heen, alles wat het moeilijker maakte om op mijn board te blijven staan.

Ook werkte ik aan mijn uithoudingsvermogen, wanneer mam bestellingen aannam aan de telefoon en ik ze mocht bezorgen. Soms gaf het me de gelegenheid om naar de andere kant van de stad te rijden en bij Dora langs te gaan. Ik zat dan even bij haar en won zo steeds meer haar vertrouwen, zodat, wanneer het eenmaal zover was en we er op de grote dag vandoor zouden gaan, ze niet in paniek zou raken. Dat was iets wat ik me absoluut niet kon veroorloven, in geen geval.

Ik begon uit te kijken naar die bezoekjes, de momenten waarop ik haar al in de tuin zag wachten. Maar ik moest voorzichtig zijn: soms kon ik niet langer dan een minuutje blijven, voordat er weer iemand van het personeel verscheen. Het belangrijkste was echter dat Dora besefte dat ik er was, dat ik betrokken wilde zijn bij haar leven.

Ik begon me steeds meer bij haar op mijn gemak te voelen. De angst dat ik haar per ongeluk wat aan zou doen begon te verdwijnen: ik begon zowaar te geloven dat ze genoot van mijn gezelschap.

'We hebben wel lol, hè, tante Dor?' vroeg ik, nadat ik haar weer eens verteld had over Sinus' complete gebrek aan tact. Ze schudde zo wild heen en weer in haar rolstoel, dat haar antwoord wel duidelijk was. Ik verheugde me er al op om de twee officieel aan elkaar voor te stellen; tot dan toe had ze Sinus nog maar één keer kort gezien, toen hij haar kledingkast in gedoken was.

'We zouden eens een dagje weg moeten gaan, u en ik samen. Een keer ergens anders heen gaan. Wat vindt u daarvan?'

Bedachtzaam keek ze me aan.

'Niet ver. Ik zou u weer op tijd voor het eten terugbrengen. Maar ik dacht dat u het misschien wel leuk zou vinden om me eens aan het werk te zien op dit ding hier.'

Haar ogen volgden me naar het board. 'Ik mag dan misschien wel niet zo snel zijn op deze wieltjes als u op de uwe, maar ik zou best een wedstrijdje aandurven.'

Ze moest weer lachen en ik voelde een positieve schok door mijn lichaam gaan, een bevestiging voor alles waar ik mee bezig was. Wanneer Dora het net zo zag zitten als ik, dan was het de moeite van het proberen waard. Ik begon me af te vragen of ik meer hulp moest inroepen, van pap misschien. De gedachte liet me niet meer los.

'Hoe goed ken jij Dora eigenlijk?' vroeg ik hem, toen we na de training samen terug naar huis reden. Ik probeerde het als een onschuldige vraag te laten klinken, wilde niet dat hij achter mijn geheime bezoekjes zou komen.

'Hoe bedoel je?'

'Nou ja, hoe vaak zie je haar bijvoorbeeld? Voelt ze zich bij jou op haar gemak, zoals, neem ik aan, bij mam?'

Pap keek een beetje schaapachtig. 'Nou, ze weet natuurlijk wel wie ik ben, maar ik heb haar al maanden niet meer gezien. Het is gewoon moeilijk, ik kende haar natuurlijk niet voor het ongeluk en… nou ja… ik ben nu eenmaal niet zo goed in praten over koetjes en kalfjes.'

'Misschien hoef je ook wel helemaal niet tegen haar te praten. Misschien is het wel genoeg als je gewoon bij haar zit en haar gezelschap houdt.'

Hij keek me vanuit zijn ooghoeken aan, vroeg zich zichtbaar af waar dit allemaal opeens vandaan kwam. Ik had duidelijk iets subtieler te werk moeten gaan.

'Misschien moet ik dan binnenkort maar weer eens gaan. Zodat je moeder ook eens een dagje vrij is.'

'Of misschien kun je een keer wat anders met haar gaan doen? Ik bedoel, het moet toch saai zijn voor haar, altijd maar in dezelfde omgeving. Wie weet hoe goed het voor haar is om eens iets anders te zien, iets nieuws.'

'Charlie, waar ben je op uit?'

Ik haalde mijn schouders op. 'Niets. Het interesseert me alleen. Je kunt niet van me verwachten dat, nu ik eenmaal van haar bestaan afweet, het me niets kan schelen. Kom op.'

'Wat dacht je ervan, als je me de waarheid eens vertelt? Ik ben niet achterlijk. Ik kan haar niet zomaar uit het ziekenhuis weghalen, zodat jij haar kunt zien. Ik snap dat je dat graag zou willen, maar dat gaat nu eenmaal niet.'

Ik voelde me boos worden. Hij was duidelijk niet van plan om me op wat voor manier dan ook te helpen en dat herinnerde me ook weer aan de belofte, die hij nog niet nagekomen was.

'Maar je gaat het nog steeds met mam hebben over alles, toch? Zoals je beloofd hebt?'

Even was het stil. Niet heel lang, maar toch voelde het als een eeuwigheid.

'Ik wacht alleen nog even het juiste moment af.'

'Natuurlijk. En wanneer is dat? Wanneer ik achttien ben? Eenentwintig? Of wil je wachten totdat er echt iets verschrikkelijks gebeurt met Dora? Zodat ze straks dood is als jij er eindelijk aan toe bent?'

Daarmee had ik hem gekwetst. Ik wist het, maar ik gaf geen krimp. Ik had geen tijd meer voor spelletjes.

'Luister, ik doe mijn best', zei hij smekend, toen we even later moesten wachten voor een stoplicht. 'Ik help je nu toch, of niet? Is dat nog niet genoeg?'

Ik pakte de deurknop en gooide het portier open, voordat ik naar buiten sprong. 'Nog lang niet', snauwde ik, terwijl ik op mijn board sprong en afzette.

'Charlie. Kom terug in de auto, oké?'

Ik negeerde hem.

'Kom op. Mam is vast al onderweg naar huis. Wat als ze je ziet?'

Ik glimlachte treurig. 'Denk je nou echt dat dat nog wat uit zou maken, pap? Echt?'

Daar had hij geen antwoord op en nadat hij nog even langzaam achter me aan was blijven rijden gaf hij gas en reed door. Ik was weer alleen, in meerdere opzichten.

34

Op school heerste een opgewonden stemming, maar dat had niets te maken met het vooruitzicht van zes weken vrij. Het was de combinatie van én het aankomende Skatefest én Sinus' geheime kunstproject, waardoor iedereen zo onrustig was.

Mr. Peach had zijn woord gehouden wat het *vandalisme* betrof en er alles aan gedaan om de school terug te brengen in de originele, beige staat. Hij had nog net geen patrouille gelopen met een valse herdershond.

Maar amper was een muur door een conciërge overgeschilderd, of Sinus gaf hem opnieuw een metamorfose. Waarbij hij er telkens voor zorgde dat het nieuwe ontwerp nog groter, beter, brutaler en provocerender was dan het vorige.

Leerlingen begonnen extra vroeg naar school te komen om, met hun gezichten tegen de nog gesloten hekken aangedrukt, de nieuwe tekeningen te kunnen zien. Kopieën van de tekeningen verschenen op etuis en schooltassen; Peach werd helemaal gek toen een grote groep meisjes uit de brugklas met balpen 'BPC' op hun wangen schreef. Het wachten was nog op iemand die T-shirts zou gaan verkopen, ik kon bijna niet geloven dat Sinus zelf nog niet op dat idee gekomen was.

Die slenterde door school, anoniem en beroemd tegelijk (in zijn eigen hoofd tenminste). Hij bracht inmiddels lang niet zoveel tijd meer door met zijn notitieboekje in de hand, iets wat hem, wanneer de leraren iets oplettender geweest waren, makkelijk had kunnen verraden. Maar hij leek het boekje niet te missen; waarom ook, nu hij het had kunnen inruilen voor *veel* grotere doeken?

De pauzes brachten we languit liggend in de zon door, terwijl we de rest van ons plan zo goed mogelijk probeerden te organiseren. Het Skatefest was al over een week, maar Operatie Dora vertoonde nog altijd meer gaten dan er in Sinus' zakdoeken zaten. En succes of mislukking van het plan zou compleet afhangen van een van de meest onbetrouwbare dingen in het leven: het Engelse weer.

Het moest zonnig zijn op de dag van het Skatefest. Wanneer de zon scheen, dan zou Dora namelijk buiten zitten; zoveel wist ik inmiddels, na mijn gedetailleerde research naar haar dagelijkse gewoontes. Het sommetje was simpel: warmte plus een zonnende tante was gelijk aan een neefje dat haar snel het terrein af kon duwen.

Maar wanneer het weer niet meewerkte, dan zouden Sinus en ik eerst langs allerlei gesloten deuren moeten zien te komen, langs beveiligingscamera's en een legertje priemende ogen. Kortom, dan zouden we de klos zijn.

We bestudeerden zoveel mogelijk weersvoorspellingen, het liefst lange termijn, waarbij we de slechte vooruitzichten probeerden te negeren en de voorkeur gaven aan die, die slechts een kleine kans op regen voorspelden. Ja, we gedroegen ons als echte nerds en dat wisten we, maar voor deze ene keer kon het me niets schelen. Niet wanneer het allemaal de moeite waard zou blijken te zijn.

'Wat is het beste wat we hiermee zouden kunnen bereiken?' vroeg ik Sinus, terwijl we lagen te luieren en een van zijn grootste en meest funky creaties bewonderden, een 'BPC' in de vorm van een vliegtuig dat vanuit een fel schijnende zon tevoorschijn komt.

'Wat, behalve dat we de mooiste vrouwen ooit achter ons aan krijgen?'

'Tja, zoveel staat vast', lachte ik. 'Liefde *is* tenslotte blind, nietwaar?'

Hij snapte duidelijk niet wat ik bedoelde.

'Maar wat nog meer?', ging ik verder. 'Los daarvan?'

'Niet van school gestuurd worden. Ik bedoel, wat heeft het voor nut om de hele school opnieuw te decoreren, als je er zelf niet elke dag van kunt genieten?'

'Je denkt toch niet echt dat Peach het ooit zal opgeven om er overheen te schilderen? En zodra hij erachter komt dat jij het bent, mag jij dat natuurlijk doen.'

'Zover komt het niet', grinnikte hij. 'Dat is Bansky nooit gebeurd en zal mij dus ook niet gebeuren.'

'Fijn om te weten dat je de lat zo hoog legt.' Typisch weer, dat hij zichzelf vergeleek met de beste graffitikunstenaar ter wereld.

'En jij? Wie heb jij op het oog? En waag het niet om te zeggen dat het je niet uitmaakt wat er gebeurt.'

Ik dacht erover na, maar mijn doelen waren toch echt wel iets minder episch dan die van hem. Een vriendinnetje zou mooi zijn, natuurlijk, maar ik had niet het talent, of het karakter, om er meer dan twee te onderhouden. Niet dat Sinus dat wel had, trouwens. Ik zou al heel blij zijn als er eindelijk een eind aan alle geheimen zou komen, hoewel ik er niet zeker van was dat ons plan, zelfs al zou het allemaal lukken, ervoor zou zorgen dat mam nu wel opeens altijd eerlijk zou zijn. Misschien zou ze wel denken dat ik haar net zo bedrogen had als zij mij, en wat dan? Tja, we wisten allemaal wie er de baas was bij ons thuis… De gedachte maakte me benauwder dan het bubbeltjesplastic ooit gedaan had.

'Ik wil gewoon niet langer meer anoniem zijn.'

'Anoniem? Jij? Na wat er gebeurd is met jouw moeder op de halfpipe?'

'Oké, verkeerde woordkeuze. Ik wil gewoon graag dat alles *anders* wordt, dat ik voortaan toegejuicht word in plaats van uitgelachen. Ik hoef echt niet de beste te worden of beroemd te zijn, maar ik zou het al geweldig vinden als ik niet langer berucht was. Snap je wat ik bedoel?'

Hij zweeg en heel even leek de blik in zijn ogen te verzachten, totdat…

'Ik heb geen idee waar je het over hebt. Of waarom je zo bescheiden blijft. Dit is je kans om jezelf in de picture te zetten, om ervoor te zorgen dat de mensen het nog over je hebben, lang nadat wij hier weg zijn. Jij en ik, de comeback kids!'

Ik schudde mijn hoofd. 'Nee, dat is onmogelijk. Ik ben al blij als ik *The Walk* nooit meer hoef te doen. Wanneer er de komende drie jaar niet meer naar me getrapt wordt, is het de moeite al waard geweest.'

Sinus zuchtte theatraal.

'Soms vraag ik me af waarom ik mijn talent aan jou verspil. Waarom ik niet iemand anders uitgekozen heb om de glorie mee te delen.'

'Ja, ik bof toch maar.' Ik probeerde mijn stem zo sarcastisch mogelijk te laten klinken, maar hij leek het niet in de gaten te hebben.

'Graag gedaan. Je bent zowel mijn project als mijn vriend. En om dat te bewijzen heb ik je skateboard nodig.'

'Eh, waarom?' Ik vond het maar niks om zo vlak voor het Skatefest mijn board af te geven, niet nu ik nog zoveel mogelijk aan mijn tricks moest werken.

'Dat gaat je niets aan. Vertrouw je ome Sinus nou maar gewoon. O, en je moet ook eens gaan nadenken over wat je aan gaat trekken op de grote dag.'

Ik bekeek mijn schooluniform en dacht aan mijn beperkte garderobe. 'Nou, dat is niet zo moeilijk. Een spijkerbroek. T-shirt. Waarschijnlijk één met lange mouwen, voor het geval dat ik onderuit ga.'

'Je snapt het nog altijd niet, of wel?' Hij was overeind gaan zitten, zijn ogen groot en fel. 'De afgelopen maand heb ik mijn uiterste best gedaan om van jou de coolste gast van de hele school te maken. Iedereen is nieuwsgierig waar 'BPC' voor staat, dus wanneer jij straks boven aan die halfpipe staat, dan is DAT het moment waarop ieders mond moet openvallen. Omdat ze zich dan plotseling realiseren wie Bubbeltjes Plastic Charlie eigenlijk is en dat jij je die naam toe-eigent. Wij gaan ervoor zorgen dat die naam cool wordt. Dus wanneer je het in je hoofd haalt om in een spijkerbroek en T-shirt te verschijnen, dan zweer ik je dat ik je persoonlijk een outfit op zal spuiten. En een paar graffiti tieten zijn niet sexy, geloof me.'

Hij had zijn punt gemaakt en ging weer liggen, handen achter zijn hoofd.

Joepie. Nog meer om me druk over te maken, naast de ontvoering, de bespottingen en mogelijk de meest woedende ouders ter wereld.

Alles verliep volledig volgens plan. Wat kon er in vredesnaam nog misgaan?

35

Ik had natuurlijk zenuwachtig moeten zijn de dag voordat ik mezelf bekend zou maken, geplaagd moeten zijn door twijfels over of het allemaal wel goed zou gaan, me schuldig moeten voelen omdat ik op het punt stond om mijn ouders enorm te belazeren.

Maar wat denk je? Niets van dat alles. Ik voelde dat dit mijn moment was, en niet alleen omdat mijn wieltjes, naarmate ik meer oefende, steeds sneller waren gaan draaien.

Ik had harder getraind dan ooit, zoveel mogelijk tijd doorgebracht in het skatepark. 's Ochtends om half zes al op de halfpipe staan had zwaar kunnen zijn, maar zo had ik het absoluut niet ervaren. Nog nooit eerder in mijn leven had ik me zo wakker gevoeld, zelfs na twee uur intensief trainen. Maar nu was ik er dan ook klaar voor, elke centimeter van de halfpipe had ik verorberd, ik voelde dat ik hem meester was.

Stan, Dan en de anderen zouden de schok van hun leven krijgen. Ik kon het. Geen twijfel mogelijk.

Het was vreemd om zoveel zelfvertrouwen en geloof in mezelf te hebben. Het borrelde zo vanbinnen, dat het bijna onmogelijk was om me nog in te houden. En dus besloot ik om de druk een beetje van de ketel te halen bij de persoon van wie ik wist dat ze zou luisteren. Ik ging bij Dora langs.

Tenminste, dat probeerde ik. De zon scheen tenslotte en dus zou ze vast en zeker weer onder de grote boom zitten, haar ogen naar de lucht gericht.

Maar toen ik bij de hekken tot stilstand kwam, bleek Dora nergens te bekennen.

Eerst zocht ik er nog niets achter. Het was niet voor het eerst dat ze er niet was. Misschien had ze een afspraak bij de dokter of de fysiotherapeut, wie weet had ze wel een blind date, wist ik veel, en dus zette ik weer af, wetende dat een beetje extra training geen kwaad zou kunnen.

Een uur later kwam ik terug, bezweet en dringend toe aan een beetje bijkomen in de schaduw, maar haar plekje bleek nog altijd verlaten. Ik kon kiezen. Ik kon nog wat blijven rondhangen, in de hoop dat ze alsnog op kwam dagen, of ik kon het opgeven en haar op de grote dag zelf verrassen.

Geen van beide opties was ideaal en nu werd ik toch wel wat zenuwachtig, bij de gedachte dat ze er morgen misschien ook niet zou zijn. En wat moest ik dan? Behalve dan dynamiet kopen om de deuren van het ziekenhuis eruit te blazen.

Teleurgesteld ging ik op weg naar huis, nerveus nu en toch ook wel vermoeid. Tegen de tijd dat ik bij Sinus was, had ik de energie niet meer om verder te gaan en dus belde ik aan. Ik herkende zijn hoekige silhouet achter de deur, toen hij richting de deur kwam lopen.

'Waar heb jij in vredesnaam uitgehangen?'

Een typische Sinusbegroeting.

'Heb je weer met vergif staan gorgelen?' vroeg ik.

'Je zou hem gisteren al langsbrengen', ging hij onverstoorbaar verder.

'*Wat* zou ik langsbrengen?'

'Hoe bedoel je, *wat*? Ik heb het niet over je broek, eikel. Je board natuurlijk. Ik zou het toch nog customizen? Dat hadden we toch afgesproken?'

'O, ja.'

Ik was het inderdaad vergeten, maar had nu geen zin om het toe te geven. Het board en mijn voeten waren de afgelopen week amper van elkaar gescheiden geweest en de gedachte alleen al gaf me een gevoel van verlatenheid.

'Nou, geef hier dan', zuchtte hij, en voordat ik nog maar de kans kreeg om hem het board aan te geven, had hij het al uit mijn handen gegrist en wilde hij de deur weer sluiten. Terwijl ik nog buiten stond.

'Mag ik niet eens binnenkomen?' riep ik.

'Vergeet het maar. Door jou loop ik nu al vertraging op en ik wil nu niet ook nog eens afgeleid worden, terwijl ik aan het werk ben.'

'Maar wat ga je er dan precies mee doen?'

Maar de deur was al dicht, waardoor ik de rest van Sinus' woorden alleen nog maar kon horen door de brievenbus, die ik geopend had.

'We zijn toch een team, Charlie?' Schuddend met een verfbus liep hij richting de keuken.

'Nou ja, ik... ik...'

'Ik is geen team, maat.'

'EIKEL!' schreeuwde ik, terwijl hij uit het zicht verdween. 'En zorg dat er geen verf in de buurt van de wieltjes komt. Wanneer die morgen vastlopen, ben ik de sjaak.'

Vanuit de verte hoorde ik zijn stem, een neerbuigend 'ja, ja', voordat hij me zei naar huis te gaan om uit te rusten.

Ik deed wat me gezegd was, maar het voelde als de langste wandeling ooit en dan had ik nu ook nog eens een saaie middag voor de boeg.

Ons appartement was leeg en waar ik me ook toe probeerde te zetten, ik kon me nergens op concentreren. Het enige waartoe ik in staat was, was telkens opnieuw bedenken wat er de volgende dag allemaal mis zou kunnen gaan, zoals vermiste tantes, opgetrommelde politieteams en woedende ouders. Vreemd genoeg heel weinig beelden van Sinus en mij die door hordes meisjes achtervolgd werden.

Ik probeerde de slechte voorgevoelens van me af te zetten door wat tv te kijken en vervolgens een boek te lezen en dacht er zelfs even over om wat huiswerk te maken, toen ik me herinnerde dat ik nog iets van een outfit moest verzinnen, wat meteen weer voor een nieuwe paniekaanval zorgde. Ik bedoel, wat verwachtte Sinus in vredesnaam?

Een soort superheldenkostuum misschien? Ik was bang dat een masker en cape mij niet echt zouden helpen bij mijn optreden. Goed, een cape zou nog dramatisch kunnen wapperen wanneer ik door de lucht vloog, maar zou ook net zo goed verstrikt kunnen raken in de wieltjes, waardoor ik al zou vallen voordat ik nog maar begonnen was. En liggend op een brancard zou het effect van zo'n cape toch een stuk minder zijn.

Ik dwong mezelf om te denken aan al het harde werk dat Sinus al gedaan had en bedacht dat ik dan maar een van zijn geniale ontwerpen op een oud wit T-shirt zou proberen te tekenen. Het enige probleem was dat hij het genie was en niet ik, wat al duidelijk werd zodra mijn stift contact maakte met de stof.

Tien minuten later had ik een tekening gefabriceerd waarop een zesjarig, kleurenblind kind misschien trots geweest zou zijn – maar dat pap nog niet als keukendoekje had willen gebruiken. Beschaamd begroef ik het T-shirt zo diep onder in de vuilnisbak, dat zelfs een bloedhond, getraind op het ruiken van viltstiften, het niet terug zou vinden.

Ten einde raad spitte ik elke la in het appartement om, in de hoop dat ik ergens inspiratie zou opdoen, maar los van een heleboel zakjes sojasaus en oude menukaarten, vond ik enkel een halve rol bubbeltjesplastic, waarvan de meeste bubbels al kapot waren. Alleen al bij het zien ervan liepen me de rillingen over de rug, maar aangezien het alles was wat ik kon vinden, nam ik het toch mee naar mijn kamer en legde het naast me op bed. Het enige wat ik nu nog moest doen, was verzinnen wat ik ermee kon.

Helaas kwam het daar niet van aangezien ik, waarschijnlijk als gevolg van oververmoeidheid, in slaap viel en pas wakker werd toen iemand luid op de voordeur stond te bonken. Geschrokken rolde ik over het bubbeltjesplastic, waarbij ik al het leven dat er nog in zat eruit drukte en van schrik mijn hoofd tegen de rand van het bed stootte.

Verdwaasd liet ik me op de vloer rollen, mijn hoofd suizend, totdat ten slotte het aanhoudende gerinkel van de telefoon tot me doordrong.

Het geluid vermengde zich met dat van het gebonk op de deur tot een soort irritante, niet om aan te horen dancemuziek. Lieve help, waarom nam pap niet op? Hij gooide het restaurant altijd op tijd open, kon meestal niet wachten om te beginnen, omdat hij dan, zodra de pannen eenmaal stonden te sissen, mam niet meer kon horen.

Na nog een minuut hield ik het niet langer uit en kroop richting mijn kamerdeur, onderwijl op mijn horloge kijkend. Tien over vijf. Tien hele minuten na openingstijd.

Ik opende de voordeur en zag drie gezette mannen staan, die geïrriteerd op hun horloges keken. Het nieuws dat we niet open waren, viel niet in goede aarde.

'Gaslek', zei ik. 'Probeer de afhaalchinees aan Carr Lane.'

Ze keken me aan met de boze blik die normaal gereserveerd was voor massamoordenaars of oorlogsmisdadigers, voordat ze er met hangende schouders vandoor gingen.

Vreemd genoeg bleef ik er niet al te lang bij stilstaan. In plaats daarvan liep ik naar de telefoon en belde paps mobiel.

Niets.

En dus probeerde ik die van mam, die meteen overging op de voicemail.

Bizar. We gingen nooit op vakantie, zodat het restaurant altijd open kon blijven, en nu kwamen ze allebei opeens helemaal niet opdagen? Vreemd.

Het daaropvolgende uur nam mijn paranoia toe, terwijl ik hun nummers bleef proberen, onderwijl het gehamer op de deur negerend.

Ten slotte plakte ik een briefje met de tekst 'Gesloten vanwege vermiste ouders' op de deur en verstopte me onder de trap. Ook legde ik de hoorn van de telefoon eraf, waarna ik me meteen ongerust afvroeg of ze me niet via die telefoon zouden proberen te bereiken.

Maar zodra ik de hoorn er weer op gelegd had, begon hij meteen weer te rinkelen. Uiteraard. Mensen die alleen maar aan eten konden denken. En dus deed ik wat iedereen met ook maar een greintje zelfrespect zou hebben gedaan: ik deed alsof de verbinding steeds slechter werd, door te hoesten en te sputteren, totdat de klanten het ten slotte opgaven en de verbinding verbraken.

Echt goed zakendoen was het natuurlijk niet, maar dat interesseerde me niet meer. Dit was een noodsituatie.

Zo bleef ik wachten, bellen en sputteren tot een uur of half negen, toen ik op het punt stond om de politie dan maar te bellen, hoewel ik geen idee had wat ik die zou moeten vertellen. Het feit dat een afhaalrestaurant niet opengegaan was, betekende immers nog niet meteen dat je ouders ontvoerd waren, of wel?

Maar toch, de hele situatie was inmiddels *zo* ongebruikelijk, dat mijn zenuwen het bijna begaven. Met de enige vinger die nog niet beefde, tikte ik op de vaste telefoon 112 in en hoorde, 'Spoedeisende dienst, waarmee wilt u worden doorverbonden?' op hetzelfde moment dat mijn mobieltje in mijn hand begon te trillen.

Het schermpje vertelde me alles wat ik moest weten – *PAP* – dus nadat ik 'sorry, verkeerd nummer' tegen de telefoniste gemurmeld had, riep ik in het mobieltje: 'Waar zitten jullie? Wat is er aan de hand?'

'Ik ben in het ziekenhuis, jongen. Slecht nieuws, ben ik bang.'

Ik voelde hoe mijn maag zich omdraaide en mijn hoofd begon te tollen, maar wist toch te vragen: 'Is het mam? Wat is er? Is alles goed met haar?'

'Nee, nee, met mam is niets aan de hand en ik zit ook niet in dat ziekenhuis.' Hij sprak luider, langzamer, serieuzer nu. 'Ik ben op Eikendonk, jongen. Het is, eh… nou, het is Dora.'

36

Ik bonkte op Sinus' voordeur. Deze keer was het me echter niet om hem of om mijn skateboard te doen, maar om zijn moeder. Haar oranje gezicht lichtte op in het donker toen de deur geopend werd, en meteen wist ze dat er iets aan de hand was.

'Charlie, lieverd? Gaat het?'

'Ik heb een lift nodig', stamelde ik. 'Sorry dat ik het moet vragen, maar het is dringend.'

Twee minuten later reden we de afrit af, op weg naar de stad. Het had zelfs nog sneller gekund als ze niet eerst nog 'even' haar gezicht had moeten doen.

Hier hadden natuurlijk heel wat grappen over gemaakt kunnen worden, voornamelijk over dat daarvoor wel iets langer dan 'even' nodig geweest zou zijn, maar zelfs Sinus hield zich in toen hij de trap af gerend kwam, zijn handen onder de verf.

Ook hij zag meteen dat het mis was en stond erop om mee te komen. Hier wilde hij zeker niets van missen en nu kon hij meteen de situatie aan zijn moeder uitleggen. Ik had het in mijn zenuwen niet voor elkaar gekregen.

Paps telefoontje was kort geweest. Dora had weer een toeval gehad. Veroorzaakt door een epileptische aanval. En dit keer was het ernstig. Daarom had hij gebeld. Zijn stem klonk rustig, een beetje hol, alsof hij het geheim wilde houden voor de hal waarin hij stond.

'Weet mam dat je mij belt?'

'Nee.' In gedachten zag ik hem een blik over zijn schouder werpen, terwijl hij sprak. 'Maar ik wist niet wat ik anders moest doen. De artsen zeggen, eh… dat het…'

Ik liet hem de zin niet afmaken. Was blij dat hij voor deze ene keer besloten had om zoiets belangrijks niet geheim te houden. Hoewel mijn hoofd weigerde om te geloven wat hij me vertelde. Het was onmogelijk dat het zo ernstig was als hij me wilde doen geloven. Ik bedoel, ze hield het nu al bijna twintig jaar vol, had al ik weet niet hoeveel toevallen overleefd. Onmogelijk dat ze het nu op zou geven. Niet nu ik haar nog maar net had leren kennen. Bovendien zou een familielid van mam zich nooit zo gemakkelijk gewonnen geven.

En ik dacht niet alleen aan Dora, maar ook aan mam. Ik had geen idee hoe dit voor haar moest zijn, had geen enkele referentie waar het Dora betrof. Zou ze dit misschien als een zegen zien, als een kans om eindelijk wat verlichting te krijgen? Ik betwijfelde het. Als ik pap moest geloven, zou ze het alleen zichzelf maar weer verwijten waarschijnlijk.

Ik probeerde te bedenken wat ik zou zeggen wanneer ze mij zou zien, wat ik zou doen. Zou ze zo afgeleid zijn, dat ze mijn aanwezigheid zou accepteren? Of zou het voor een nieuwe confrontatie zorgen, eentje die ik nu vermoedelijk niet aan zou kunnen?

In mijn hoofd probeerde ik de verschillende scenario's langs te gaan, maar al gauw begonnen alle beelden door elkaar heen te lopen, waardoor mijn paniek alleen nog maar groter werd.

Sinus' moeder gaf flink gas, terwijl ze ondertussen af en toe even een blik in de achteruitkijkspiegel wierp, haar ogen steeds groter, naarmate het verhaal vorderde.

'Tjonge, wat moet dat een schok geweest zijn voor je, Charlie.' Ik hoopte maar dat ze minder van het drama genoot dan het leek, dat ze niet meteen haar mobieltje tevoorschijn zou halen zodra ze me afgezet had. Mam en zij waren nou niet bepaald dikke vriendinnen. Het was Sinus, nota bene, die me geruststelde.

'Het komt heus wel goed', zei hij glimlachend, terwijl hij zich naar me omdraaide. 'En maak je nou maar geen zorgen over dat mensen erachter zullen komen. Wij houden onze mond wel, toch, mam?'

Ze begon te blozen, een nieuwe caleidoscoop van kleur onder haar neonkleurige rouge. 'Maar natuurlijk.' Ze richtte haar blik weer op de weg, met een hernieuwde concentratie die aanhield tot aan de hekken van Eikendonk.

Met een gemompeld 'dank u wel' sprong ik de auto uit en voelde de eerste spatjes regen op mijn hoofd.

'Wil je dat we op je wachten?' riep Sinus me na.

'Hoeft niet.' Ik keek niet meer om.

Ik weet niet of de regen een slecht voorteken was, maar tegen de tijd dat ik bij de ingang was, goot het pijpenstelen. Dikke regendruppels geselden de bloemen bij de deur. Met mijn inmiddels natte schoenen gleed ik meer dan dat ik liep over de geboende vloer richting de receptioniste, waardoor ik meteen haar aandacht trok.

'Kan ik je helpen?'

Maar pap verscheen al achter haar en nam me mee de dubbele deuren door, voordat hij me innig omhelsde. Geen idee of hij dit voor mij of voor zichzelf deed. 'Het spijt me zo', fluisterde hij, hoewel ik geen idee had waar hij het over had, deze keer niet.

'Ik ben allang blij dat je me gebeld hebt', glimlachte ik treurig, terwijl ik zijn gezicht afzocht naar tekenen dat het allemaal wel meeviel.

'Wat had ik anders moeten doen? Ik heb zo lang mogelijk gewacht, maar de artsen zeiden dat het niet...' Het leek wel alsof de woorden hem letterlijk pijn deden. En ik wilde ze ook liever niet horen.

'Heb je mam al verteld dat ik kom?'

'Ik wist niet hoe. Jullie zijn allebei al zo erg gekwetst.'

'Het is al goed', zei ik. En ik meende het ook, soort van. Hij wist gewoon niet hoe ze zou reageren; ik begreep het best. Nu nog meer dan ooit. 'Dan zullen we het haar samen maar vertellen, hè?'

Zwijgend haastten we ons de gangen door, geen van beiden in staat om met een plan te komen. We moesten het gewoon maar laten gebeuren.

Toen we bij Dora's kamer aangekomen waren, gluurde pap even door het raampje, zijn hand bevend op de klink. Voorzichtig duwde ik hem aan de kant. Dit was het moment waarop ik gewacht had, ik kon het nu niet langer meer voor me uitschuiven.

De kamer was donkerder dan welke ziekenhuiskamer die ik ooit gezien had, het enige licht was afkomstig van een batterij aan machines die rond het bed stonden te zoemen en te flitsen. Samen met alle slangetjes en kabels die op Dora aangesloten waren, vormden ze een decor dat zo uit een sciencefictionfilm afkomstig had kunnen zijn. Ik kon niet geloven dat geen van die machines in staat was om haar bij ons terug te brengen.

Langzaam liep ik richting het bed. Mam zat voorovergebogen, haar voorhoofd op Dora's magere hand. Geen van beiden bewoog. Nog nooit eerder had ik zoiets meegemaakt, ik had ook geen moment rekening gehouden met een situatie als deze. En nu dreigde het me op te slokken. Alleen de bemoedigende, leidende hand van pap zorgde ervoor dat ik verder liep.

Mijn blik viel op Dora, op de plakkers op haar borst en slapen, die haar toch al kwetsbare huid dreigden te beschadigen. Ze leek kleiner dan ooit, alsof de matras haar centimeter voor centimeter aan het absorberen was, haar langzaam in zich opzoog. Ik keek naar tekenen van pijn, maar zag niets. De enige polsslag kwam van de machine.

Ik zocht naar de juiste woorden om mam te laten weten dat ik er was – maar vond ze niet. In plaats daarvan liep ik dus maar door totdat ik bij het bed aangekomen was, waar ik Dora's andere hand beetpakte.

Eerst reageerde mam niet, waarschijnlijk dacht ze dat ik een verpleegster was, maar na een poosje gleed haar blik langzaam van mijn hand via mijn arm en schouder naar mijn gezicht. En pas nadat ze me een paar seconden intens aangestaard had, leek ze zich te realiseren wie daar nu eigenlijk stond, en dat haar geheim dus ontdekt was.

Dit was het moment. Vanaf hier was er geen weg meer terug. Voor niemand van ons.

37

Eerst zei ze helemaal niets, te verbaasd en geschokt over wat ik hier plotseling deed, in haar privéwereldje. Maar zodra ze de angst op het gezicht van pap zag, dacht ze alles te weten wat ze weten moest.

'Heb je het aan Charlie verteld?' fluisterde ze, haar stem zacht maar bijtend. 'Hij hoort hier niet te zijn, zeker nu niet.'

Pap deed een stapje naar voren, terwijl hij naar woorden zocht, maar ik was hem voor.

'Ik ben er zelf achter gekomen.' Ik zei de woorden nadrukkelijk, zodat er geen twijfel kon bestaan. 'Pap heeft me pas wat verteld toen ik hem ertoe dwong.'

Het was alsof ik in een vreemde taal sprak. Er kwam geen enkele herkenning of reactie; haar blik bleef strak op pap gericht. Met samengeknepen ogen legde ze voorzichtig Dora's hand terug op het bed. En hoewel die beweging heel voorzichtig en liefdevol was, gold dit zeker niet voor haar lichaamstaal.

'Hoe kon je?' siste ze hysterisch, terwijl ze om het bed heen naar hem toe liep. 'Ik dacht dat je het begreep. Waarom ik wilde dat *niemand* het wist. Vond je nu echt dat Charlie dit moet zien? Dat hij ziet wat ik aangericht heb?'

Ik probeerde tussen ze in te gaan staan en haar aandacht af te leiden, maar zoals altijd wist ze van geen wijken.

'Luister nou eens naar me, mam. Pap heeft het me niet verteld.

Het was een verpleegster aan de telefoon. Ze dacht dat ik jou was en pap heeft me alleen de rest maar verteld, omdat ik hem ertoe dwong, omdat ik dreigde dat ik anders jou ermee zou confronteren. Hij probeerde je alleen maar te beschermen.'

Eindelijk leek ze me te horen. Met grote ogen liet ze de woorden op zich inwerken. Ze deed een stap achteruit en sloeg haar handen voor haar gezicht, alsof ze zichzelf te verminkt of te kwaadaardig vond om gezien te worden.

Ik liep op haar toe terwijl ze achteruit deinsde, probeerde haar armen naar beneden te duwen, maar haar ellebogen stonden op slot en haar vingers waren verkrampt.

'Het is al goed', zei ik. 'Echt, het is al goed. Pap heeft me verteld wat er gebeurd is.'

'Dat geloof ik graag.' Vanachter haar handen klonk haar stem nog steeds helder. 'Hij heeft je zeker verteld dat ik er niets aan kon doen. Zei natuurlijk dat het iedereen had kunnen overkomen.' Langzaam liet ze haar handen nu zakken, waardoor de pijn op haar gezicht zichtbaar werd, in elke rimpel, in elke traan. 'Maar dat was niet het geval, of wel? Het gebeurde mij.'

Ik dacht dat ze nog verder zou gaan, dat haar boosheid en volume nog toe zouden nemen, maar zodra het laatste woord uitgesproken was, beet ze op haar lip, terwijl ze een hartverscheurende snik probeerde in te slikken. 'Het gebeurde mijn zus.'

'En toch kon jij er niets aan doen, mam. Het was gewoon een *ongeluk*, dat weet je toch wel?'

'Een ongeluk? Dacht je dat echt? Een ongeluk is een glas kapot laten vallen of met je auto tegen een lantaarnpaal rijden. Kijk naar Dora en vertel me dat dat hetzelfde is. Kijk naar al die machines en vertel me *hoe* ik daar niets aan kon doen?'

Maar daarvoor kreeg ik de kans niet, want zodra mam stopte met praten, leken de machines het van haar over te nemen. Hun elektronische gegil was oorverdovend en in paniek haastten we ons alle drie naar het bed.

Ik keek naar Dora's gezicht, op zoek naar een teken van pijn, maar vond niets. Haar oogleden bleven gesloten, haar lippen licht getuit onder het zuurstofmasker. De machine was het enige bewijs voor het feit dat er in haar lichaam van alles aan de hand was.

Medisch personeel kwam de kamer in rennen, duwde ons aan de kant om te kunnen kijken, porren en aanraken. Ik voelde de neiging om ze weg te trekken, om ze te zeggen om voorzichtig te doen, maar in plaats daarvan hield ik mijn moeder vast, wier ledematen het leken te begeven, net als die van haar zus. Het personeel drukte op knoppen, verving infusen en gaf injecties, maar niets kon mijn tante nog terugbrengen.

Haar ademhaling vervloog als een wegstervende echo, het was alsof haar bed op wieltjes stond en ze langzaam steeds verder van ons weg rolde.

Ik liep weer terug naar het bed en pakte voorzichtig Dora's hand, waarbij ik mezelf dwong om niets te zeggen, uit angst dat ik daarmee het laatste restje leven uit haar lichaam zou trekken. Ik hoopte maar dat ze ook zo wel wist dat ik er was: dat we er voor één keer, voor zowel de eerste als de laatste keer, *allemaal* waren, haar hele familie.

'Ik ben bang dat ik slecht nieuws heb', klonk een stem achter me. We draaiden ons om naar de dokter, een licht gebogen man met afhangende schouders, door jarenlange gesprekken die allemaal op deze zelfde manier begonnen waren.

'De resultaten van de CT-scan zijn niet best. Zoals we al vreesden, heeft Dora's laatste toeval een ernstige hersenbloeding tot gevolg gehad. En u ziet dat haar lichaam dit trauma gewoon niet aankan. We kunnen het haar zo comfortabel mogelijk maken en ervoor zorgen dat ze zo weinig mogelijk pijn heeft, maar verder kunnen we weinig meer…'

De rest hoorde ik al niet meer.

Ik wist wat er ging komen, wist het al vanaf het moment dat ik een voet in deze kamer gezet had, maar toch overviel het me nog, ik schreeuwde het uit, terwijl mijn benen het begaven. Mam ving me op, sprak troostende woorden, terwijl ik een nieuwe kreet uitstootte.

Ik wist niet dat ik tot een dergelijke emotie in staat was. Misschien was er na al die leugens iets geknapt, of kwam het door het vreselijke besef dat Dora er zoveel erger aan toe was dan ik me ooit gerealiseerd had, maar het beangstigde me dat ik blijkbaar zoveel kon houden van iemand die ik nog maar amper kende. En wat me nog banger maakte was de vraag, hoe zij ooit vervangen zou kunnen worden.

Ik voelde me weer alsof ik vijf jaar oud was en keek naar mijn moeder, zoals ik dat toen ook altijd gedaan had. Ook zij kon zich nu duidelijk nog maar amper staande houden, maar door elkaar te ondersteunen wisten we te voorkomen dat we helemaal in elkaar zouden storten.

We wachtten.

En terwijl het om ons heen langzaam donker werd, realiseerde ik me dat hiermee voor mam een eind kwam aan een hele lange periode van wachten. Twintig jaar lang weten dat dit eraan zat te komen, in gedachten toeleven naar dit moment, compleet in beslag genomen door je eigen schuldgevoelens.

Ik kon het me niet voorstellen.

Op de een of andere stomme, naïeve manier had ik er nooit bij stilgestaan dat Dora wel eens zou kunnen sterven. Hoe dan ook, ik kende haar immers niet anders dan als dit misvormde, kleine vogeltje, dat lachte om alle foute grappen en iedereen die het ontmoette voor zich innam? Er zat meer leven in haar dan in welke idioot op school ook.

Pas op dat moment herinnerde ik me weer mijn plan, dat stomme, roekeloze idee om haar te gebruiken, enkel voor mijn eigen, egoïstische behoeftes.

Wat zou er gebeurd zijn als ze deze aanval onderweg naar het Skatefest gekregen zou hebben, of te midden van de mensenmenigte? Wat had ik dan tegen mam moeten zeggen?

Bekijk het van de positieve kant, ma. Jij mag het ongeluk dan misschien veroorzaakt hebben, maar ik ben uiteindelijk schuldig aan haar dood...

Alleen de gedachte al maakte dat ik het koud kreeg, de enige

warmte was afkomstig van Dora's breekbare vingers, die ik vasthield terwijl mam zich bezighield met het opschudden van kus-
sens en het gladstrijken van Dora's haar. Dezelfde dingen, nam ik
aan, die ze de afgelopen twintig jaar ook gedaan had. Alleen leek
ze alles nu twee keer zo snel te doen, in een poging om zoveel
mogelijk liefde te geven in de tijd die hen nog restte.

Wat niet veel was.

Zwijgend zagen we middernacht komen en gaan, alle drie vol
vragen voor de ander. Maar we beheersten ons: op dit moment
deed het er allemaal niet toe. De enige woorden die gesproken
werden, waren aan Dora gericht. Zij was alles, wat er nu toe
deed.

Lag ze comfortabel?

Kon ze ons horen?

Ik wist dat we deze vragen meer voor onszelf dan voor haar stel-
den, wanhopig hopend dat ze, waar ze zich nu ook bevond, kon
voelen dat we er *allemaal* waren. Dat ze tenminste in *die* wetenschap in kon slapen.

Maar toen het moment ten slotte daar was, was er helemaal niets
vredigs of hartverscheurends aan. Was het compleet anders dan
op de televisie of in een boek. Geen ogen die nog heel even
geopend werden, geen laatste glimlach of diepzinnige laatste
woorden.

Het enige waaraan we merkten dat ze er niet meer was, was de
machine die ons dat met een langgerekte, emotieloze pieptoon
duidelijk maakte.

Wat een laatste moment had moeten zijn van haar handen nog
eens extra stevig vasthouden en haar smeken om terug te komen,
werd vervangen door artsen die onze handen lostrokken en ons
dringend verzochten om hen wat ruimte te geven.

Ik gehoorzaamde braaf en strompelde richting pap. Maar mam
niet.

Zij bleef grimmig zitten, terwijl de tranen over haar wangen
liepen, hoeveel mensen er ook binnenkwamen.

Ze liet haar zus niet los, verloor haar niet uit het oog, zelfs niet toen de artsen ten slotte de machine uitzetten en het weer stil werd in de kamer.

In plaats daarvan zat ze daar maar, op dezelfde manier als waarop ze er waarschijnlijk altijd gezeten had.

Behalve dan dat het nu stil was.

Een stilte, waarvan we allemaal het gevoel hadden dat we hem nooit meer zouden kunnen invullen.

38

Ons werd aangeraden om naar huis te gaan om uit te rusten, maar alleen pap en ik namen een taxi naar huis, dankbaar dat onze tranen in het donker niet te zien waren.

Mam bleef achter: er waren nog wat dingen te doen, dingen waarmee ze niet tot de volgende ochtend wilde wachten.

'Ze is nog altijd mijn zus', had ze gezegd, toen pap haar probeerde over te halen om mee naar huis te gaan, 'en dus moet ik dit op de juiste manier afhandelen. Dat verdient ze.'

Hij ging er niet tegenin. Natuurlijk niet. Hij wist dat één extra woord nu de spreekwoordelijke druppel kon zijn en dus vertrok hij nadat hij haar nog een laatste keer omhelsd had.

Het was een avond vol eerste keren, en een vreemd moment voor mij. Ik kon me de laatste keer niet herinneren, dat ze zo lief voor elkaar geweest waren. Mijn vader was getrouwd met zijn keuken, niet met mijn moeder – en wat haar betrof? Tja, inmiddels wist ik waarop haar genegenheid zich al die tijd gericht had.

Er zouden dingen gaan veranderen. Dat kon niet anders, maar wat die veranderingen zouden inhouden en hoe we daar allemaal mee om zouden gaan, kon ik nog niet overzien.

'Gaat het een beetje, jongen?' Paps hand, hoewel ruw, voelde toch troostend op die van mij.

'Denk je dat ze kwaad zal zijn?' vroeg ik, onbewust van het feit dat die vraag me blijkbaar bezighield. 'Morgen, wanneer ze thuiskomt en het allemaal tot haar doordringt?'

Ik zag zijn schaduw ineenkrimpen.

'Geen idee hoe ze eraan toe zal zijn, of ze überhaupt zal reageren. Misschien is ze boos, misschien vindt ze het pijnlijk dat we het voor haar verborgen gehouden hebben, dat jij het van iemand anders hebt moeten horen. Ik zou het echt niet weten, jongen.'

Echt veel troost boden zijn woorden niet, ik had er niet veel aan, maar het was tenminste een eerlijk antwoord, beter dan het gebruikelijke *het is je moeder*. Ik hoopte maar dat ik die woorden nooit meer hoefde te horen.

'Maar ik weet ook niet wat ik moet zeggen. Hoe ik erover moet beginnen, zonder haar van streek te maken. Of mezelf', zei hij. 'Ik weet niet eens of ik nog wel kwaad op haar kan zijn. Niet nu Dora dood is.' Ik sloot mijn ogen, in de hoop zo een eind te maken aan alle verwarring, maar helaas. In plaats daarvan begon mijn hoofd net zo te tollen als die keer dat Sinus en ik geëxperimenteerd hadden met zijn moeders drankkast.

'Je mag je voelen hoe je wilt, Charlie. Probeer alsjeblieft niets meer te verbergen. Dat is al teveel gebeurd en kijk wat dat ons gebracht heeft.'

'Maar je zag hoe ze was toen we het ziekenhuis verlieten. Hoe zal ze reageren als ik de situatie nog erger maak?'

'Tja, dan moet je het vooral voor je houden. Verzwijg alles en zeg dat er niets aan de hand is, enkel om haar te beschermen. Maar wanneer je dat doet, dan ben je haar alleen maar net zo overdreven aan het beschermen als zij jou deed. En uiteindelijk zul je zien dat alle boosheid er toch uit komt, al moet dat nog een keer twintig jaar duren. En wanneer je het nu allemaal al zo verschrikkelijk vindt, nou…'

Hij maakte zijn zin niet af. Zijn logica was al doorgedrongen tot alle dingen die ik in mijn hoofd op een rijtje probeerde te zetten. Het enige wat ik kon doen was zitten en mijn gedachten de vrije loop laten, waarbij ik ze zoveel mogelijk probeerde te negeren, in de hoop dat de paranoia na een paar uurtjes slaap wat verminderd zou zijn.

Maar mijn hoofd bleek niet tot rust te kunnen komen. Ik sliep wel, maar mijn hersenen bleven doormalen en ik droomde de meest bizarre dingen. Ik skatete op een board dat gemaakt was van Dora's beademingsmachine, een priester gaf me het laatste sacrament voordat hij me van de top van de halfpipe duwde. Mam zat onder de tatoeages van haar zus; pap had het afhaalrestaurant ingeruild voor een uitvaartbedrijf, maar de enige kist op voorraad was in mijn maat, in mijn vorm en met mijn naam op een koperen plaatje.

Ik probeerde wakker te worden, maar de droom lachte me uit en ging gewoon verder. Pap gooide me in de kist en hamerde schaterlachend het deksel erop.

Met een schreeuw werd ik uiteindelijk toch wakker, badend in het zweet.

Maar het gehamer ging door. Het was de deur beneden, een hongerige klant weer waarschijnlijk, op zoek naar een zak kroepoek. Behalve dan dat het nog maar kwart over negen was. Drie uur voordat pap normaal gesproken het bordje op de deur omdraaide. Ik vond het maar niets, zeker niet na gisteren. En dus sleepte ik mezelf de trap af, nadat ik me (zoals altijd) tegen het traphekje gestoten had. Ik had geen idee wie ik moest verwachten. Mijn hoofd maalde verder, maakte me wijs dat het een politieagent zou zijn met nog meer slecht nieuws, maar in plaats daarvan trof ik Sinus, zijn armen achter zijn rug, een blik van oprechte ongerustheid in zijn ogen. Zijn mond opende zich, terwijl ik hem binnenliet, maar er kwamen geen woorden uit. Hij leek wat ongemakkelijk, bang bijna voor wat hij moest zeggen, en dus bespaarde ik hem de moeite en vertelde hem wat er aan de hand was.

'Dora is dood', zei ik, en hoorde zelf hoe bot en emotieloos het klonk. Ze verdiende beter dan dat, een iets uitgebreidere verklaring, waaruit ook zou blijken hoe moedig ze geweest was. Maar mochten die woorden er al zijn, ik kende ze in elk geval niet en opnieuw werd ik door verdriet overmand.

Ik had niet gedacht dat ik nog tranen over had, maar bleek me te vergissen. En ook had ik nooit gedacht dat ik een dergelijke emotie in het bijzijn van Sinus zou tonen, maar ook daar bleek ik geen controle over te hebben.

Maar in plaats van zich ongemakkelijk te voelen, deed hij iets onverwachts. Hij liep op me af en haalde één hand van achter zijn rug tevoorschijn, om die op mijn schouder te leggen. Met zijn hoofd iets schuin en een treurige, meelevende glimlach om zijn lippen deed hij het ondenkbare, zei hij het woord dat ik hem nog nooit eerder had horen zeggen, een woord waarvan ik altijd gedacht had dat hij het bestaan niet eens kende.

'Sorry', zei hij, 'het spijt me zo, gast.' Hij trok me tegen zich aan en liet elke traan en snik toe die ik produceerde.

We zaten in de woonkamer en kwamen alleen af en toe in beweging wanneer de kom met kroepoek bijgevuld moest worden. 'Wat stoppen jullie hier toch in?' lachte Sinus flauw, zijn T-shirt onder de kruimels. 'Crack, cocaïne?'

Ook ik moest lachen en voelde me meteen schuldig. 'Dat zou je aan Bunion moeten vragen. Die is tegenwoordig de expert.'

'Dat geloof ik graag.'

Het voelde goed om het over iets onzinnigs te hebben, iets waardoor ik even niet meer het gepiep van Dora's machines in mijn oren hoorde.

Bovendien hadden we het daar nu ook wel genoeg over gehad: Sinus had er voorzichtig naar gevraagd, waarna ik hem zoveel mogelijk verteld had, waarbij ik geprobeerd had om niet in huilen uit te barsten.

'Het wordt vanzelf beter', zei hij, hoewel de blik in zijn ogen minder overtuigd leek.

Zou het? Ik wist niet of ik ooit een stukje in mijn hersenen zou vinden dat groot genoeg was om al mijn emoties op te kunnen slaan. Niet, nu die nog uiteenliepen van boosheid tot spijt tot enorme verbittering om wat ik allemaal gemist had.

'Je moet gewoon zorgen dat je bezig blijft. Mijn moeder zegt dat toen haar vader overleed, ze enkel wist te voorkomen dat ze helemaal gek werd door zich op zoveel mogelijk andere dingen te storten. Zo had ze het gevoel dat ze weer een doel in haar leven had.'

Ik dacht aan zijn moeder, aan de dikke laag make-up op haar gezicht, en vroeg me af of dat misschien ook onderdeel van haar rouwproces was. De rillingen liepen me over de rug. Hoeveel fooi ik ook zou krijgen, ik kon me niet voorstellen dat ik ooit genoeg geld zou verdienen om er een dergelijke gewoonte van te kunnen betalen.

'En jij hebt geluk, Charlie', ging Sinus verder, zijn glimlach een stuk zelfverzekerder nu, 'want je hebt hier alles wat je nodig hebt om door te gaan.' Hij reikte naast de bank en haalde met een groots gebaar mijn skateboard tevoorschijn. Zijn stralende glimlach leidde me even af van wat hij me duidelijk wilde laten zien. Eerlijk gezegd was ik volkomen vergeten dat hij het board had. Voor het eerst in weken had ik even niet meer aan het Skatefest gedacht, en zelfs nu, op dit moment, voelde het nog steeds niet heel belangrijk.

'Ik had graag nog een beetje meer tijd gehad', zei hij, met een blik op de onderkant van het board, dat nog altijd niet zichtbaar was voor mij, 'voor de finishing touch en zo, maar ik denk dat je het ook nu al wel mooi zult vinden. Een echte limited edition, hier is er maar één van.' Hij pakte beide uiteinden van het board tussen zijn handpalmen en draaide het om, zodat ik nu ook de onderkant kon zien, en eindelijk had hij mijn volledige aandacht. Nog nooit had ik zoiets gezien. De onderkant van het board leek wel in brand te staan, zo straalde hij me tegemoet, de kleuren waren zo levendig dat het leek alsof hij volkomen nieuwe kleuren bedacht had. Als gehypnotiseerd strekte ik mijn handen ernaar uit, terwijl ik zoveel mogelijk in me probeerde op te nemen, zonder mijn ogen eraan te branden.

Het leek wel alsof hij 3D-verf gebruikt had. Een 'BPC' knalde van het hout, elke bubbel in de tekening volgepompt met lucht, smekend om kapot gedrukt te worden. Ik keek wat nauwkeuriger naar de lichtstralen die hij rondom de letters gespoten had en zag tot mijn verbazing dat het vlammen bleken te zijn, zo rood dat het leek alsof de plank in brand stond. Maar het allermooist vond ik nog wel de neus van het board, waarop een piepklein figuurtje op een oversized skateboard stond afgebeeld, het lichaam in een overdreven gebogen houding, terwijl het door de lucht vloog. De skater was zo klein dat het wel duidelijk was dat hij mij moest voorstellen, en hoewel ik zijn gezicht niet kon zien, straalde het geheel zoveel vreugde uit, dat het iets in mij raakte, een vonk deed ontbranden in mijn lichaam, een lichaam waarvan ik gedacht had dat het nooit meer in staat zou zijn om opwinding te voelen.

'Wat vet!' riep ik.

'Past helemaal bij wat we van plan waren, of niet?'

En hopla: het vonkje was weer gedoofd.

Loodzwaar lag het board op mijn schoot.

'Wat is er?' vroeg hij.

'Wat dachten we wel niet, Sinus? Dachten we nu echt dat het zou werken?'

'Het was natuurlijk een gok, maar de situatie was dan ook wel anders dan anders. En soms moet je gewoon een risico durven nemen. Zelfs als dat betekent dat het misschien mislukt.'

'Tja, nou ja, daarover hoeven we ons nu geen zorgen meer te maken, of wel? Dora is er niet meer en dus geldt dat ook voor ons plan. Ik ben je heel dankbaar, Sinus, echt waar. Dit is echt zo'n beetje het mooiste wat ik ooit in mijn leven gezien heb. En het spijt me dat ik er vandaag geen gebruik van zal kunnen maken.'

Wat mij betreft was het duidelijk. Definitief. Er was nu toch niets meer te onthullen, niets meer te bewijzen.

Maar Sinus dacht er blijkbaar anders over. Hij sprong overeind.

'Je maakt een grapje, zeker? Hoe bedoel je, je gaat er geen gebruik van maken?'

'Rustig maar, oké? Ik bedoel niet voor *altijd*. Ik heb het alleen over *vandaag*. Vandaag moet ik hier zijn, bij mijn moeder, de dingen uitpraten.'

'Nee, nee, nee! Wat jij nu moet doen, Charlie, is ballen kweken en je realiseren dat wat er vannacht gebeurd is, helemaal niets verandert. Je moet dit nog steeds doen!'

Ik geloofde mijn oren niet. 'Wat? Zodat jij indruk kan maken op de meisjes op school zeker, zodat jij straks met de eer kan gaan strijken? Heb je enig idee wat ik allemaal meegemaakt heb vannacht? Nee, natuurlijk niet. Jij hebt nooit iets door, tenzij het over jou gaat, of niet? Nou, deze keer denk ik een keer aan mezelf, voor de verandering.'

Boos keek hij me aan. 'Dat is onzin en dat weet je zelf ook. Wanneer je echt aan jezelf zou denken, zou je juist naar dat Skatefest gaan. Maar jij kunt alleen maar aan je moeder denken, aan hoe je haar te vriend kunt houden...'

'Haar zus is net OVERLEDEN, Sinus!'

'En dat vind ik vreselijk voor haar, net zoals ik dat vreselijk vind voor jou. Maar snap je dan niet, Charlie, dat het nu misschien voelt als het eind van de wereld, maar dat het eigenlijk juist de perfecte start is? Dit is je kans om een streep te trekken onder alles wat er gebeurd is. Om iets negatiefs om te zetten in iets positiefs dat ZO groot is, dat je het niet eens kunt overzien. Denk daar maar eens over na, oké?'

Ik luisterde naar hem, echt, maar zag werkelijk niet in hoe ik mijn moeder dit aan kon doen, niet vandaag.

Maar vreemd genoeg wilde hij ook daar niets van weten.

'Oké. Gooi het ding dan maar weg. Kan mij het ook schelen. Mijn kunst is tenslotte ook nog steeds op alle muren te zien en mij maakt het niet uit of ze er vandaag achterkomen of niet. Dat gebeurt heus nog wel, zodra ik dat wil.'

Hij draaide zich om om weg te gaan, maar bedacht zich toen. 'Maar ik zeg je één ding, of je het nu gelooft of niet. Ik heb dit allemaal niet voor mezelf gedaan, maar voor jou. Omdat ik je dat schuldig was. Het kost me moeite om het toe te geven, maar het is waar. Je had me de afgelopen jaren al heel wat keren de rug toe kunnen keren, ik weet dat ik het je niet makkelijk gemaakt heb. Je had mogelijkheden genoeg, maar maakte er nooit gebruik van. Niet één keer. En moet je ons nu zien, in een situatie die we ons nooit hadden kunnen voorstellen, met de kans voor ons allebei om te zeggen: *Hé! Zie ons eens. Dit is wat wij kunnen.* Stel je dat toch eens voor, Charlie. Stel het je voor. Stel je hun gezichten voor. En zeg me dan nog een keer dat we zo'n kans nog wel een keer krijgen. Want ik zeg je één ding: wanneer we het nu niet doen, dan ben ik bang dat het er nooit meer van komt.'

Het was een mooie speech. Dat moest ik toegeven. Het soort speech waarbij eigenlijk een orkest op de achtergrond aanzwellende muziek had moeten spelen. Oké, het was misschien wat manipulatief en erop gericht om mij over te halen, maar hij kende me ook gewoon te goed.

Het zette me aan het denken. Over waar mam was en wanneer ze terug zou komen. Over dat ze mij niet langer per se op een skateboard hoefde te zien, niet vandaag tenminste. Misschien ging het vandaag *inderdaad* wel om de idioten van school, om de mogelijkheid om hen te laten zien dat ze fout zaten. Al het andere kon wachten. Dat moest dan maar. Mijn hart ging tekeer en mijn voeten jeukten om op het board te springen.

'Misschien kunnen we even een kijkje gaan nemen in het park, kijken wat er allemaal gebeurt?'

Ik was nooit zo goed in nonchalant doen en Sinus wist dat.

'Leuk geprobeerd', grijnsde hij. 'Maar eerst moet je wat aan je kleren doen. Zoals je er nu uitziet, ga je op niemand indruk maken.'

Er waren dingen aan het veranderen, er zouden dingen gaan veranderen, maar het was een opluchting dat sommige dingen, de vertrouwde dingen, altijd hetzelfde zouden blijven.

39

Het was druk in het park, er klonk muziek en overal hoorde je het geluid van duizenden wieltjes die over het asfalt rolden. Het was de hemel op aarde voor skaters, nog mooier dan ik het me voorgesteld had in al die maanden dat ik er bijna continu aan had moeten denken.

Ik kende het bijna niet meer terug. Overal stonden eettentjes, bierstalletjes en, het belangrijkste, kraampjes waar je alle mogelijke skateattributen kon kopen. Mensen wisten niet hoe snel ze hun portemonnee moesten trekken. Ik nam het allemaal in me op, zag honderden dingen die ik had kunnen kopen, maar wist dat ik ze niet nodig zou hebben. In mijn handen hield ik mijn geheime wapen; ik wist dat er tijdens de hele show vandaag geen mooier board te zien zou zijn.

Ook zelf kon ik mijn ogen er nog steeds bijna niet van afhouden. Thuis had ik er tijden naar zitten staren, terwijl Sinus het T-shirt onder handen genomen had dat ik uitgekozen had om te dragen; en onderweg naar het park was ik een paar keer bijna gestruikeld, zo betoverd was ik door het board.

Sinus had gelijk. De kans die we vandaag zouden krijgen was te mooi om te laten liggen. Oké, het plan was veranderd, maar het maakte niet uit dat mam er niets van zou meekrijgen. Waarschijnlijk was het ook maar beter zo; ze zou het vandaag al druk genoeg hebben met dokters en begrafenisondernemers. Ik zou haar er later wel mee lastigvallen, na de begrafenis, wanneer alles een beetje gekalmeerd was en we eraan toe waren.

En vandaag was de eerste stap, de stap die me weer op weg zou helpen: die zou laten zien dat geen enkele vernedering op school me ervan kon weerhouden om mezelf te bewijzen. Om te bewijzen dat *zij* fout zaten.

We sloten aan in de rij voor de halfpipe-wedstrijd, Sinus met zijn neus in de lucht, voor iedereen zichtbaar, ik met mijn pet diep over mijn voorhoofd getrokken onder mijn hoodie.

Wanneer ik dit echt ging doen, dan wilde ik ook een optimaal effect en mocht niemand dus weten dat ik meedeed. Hoewel dit wel een beetje naïef bleek. Tenzij er namelijk een categorie was voor kinderen onder de vijf, was het voor iedereen waarschijnlijk wel duidelijk wie dat kleine joch in de rij was en wat hij van plan was.

'Probeer rustig te blijven, oké?' siste Sinus naast me.

'Ik ben rustig', antwoordde ik, om op dat moment pas te zien hoe erg het board in mijn handen trilde. 'Het is gewoon de adrenaline.'

'Ja, vast. En dan is dat zeker vloeibare adrenaline, die langs je broekspijp loopt?'

Ik wist dat ik niet *zo* bang was, maar wierp voor de zekerheid toch maar even een snelle blik naar beneden, tot grote pret van Sinus natuurlijk.

'Heb je niets beters te doen?' vroeg ik. 'Er is hier vast nog wel ergens een muur die je nog niet aangerand hebt?'

'*Au contraire*', lachte hij, terwijl hij wees op drie muren in de buurt, allemaal gedecoreerd met zijn kleurrijke 'BPC's'.

Hij had het maar makkelijk, dacht ik. Hij kon zijn ding 's nachts doen, zonder enige druk, zonder dat iemand hem zag. Terwijl ik het risico liep om elk bot in mijn lichaam te breken ten overstaan van de hele stad. Wanneer een van zijn ontwerpen wat minder goed was, dan waren ze dat zo weer vergeten; een dergelijke genade zou mij echter niet gegund zijn.

Het duurde allemaal een stuk langer dan normaal gesproken nodig zou zijn om in te schrijven, niet in de laatste plaats door de bureaucraat achter de tafel, die niet wilde geloven hoe oud ik was. Op een gegeven moment deed hij zo moeilijk dat ik al bang werd dat ik hem mijn okselhaar zou moeten laten zien om hem ervan te overtuigen dat ik echt geen zeven meer was, zoals hij blijkbaar dacht.

Uiteindelijk kwamen we er echter uit, met behulp van een wiskundeboek dat nog in mijn rugzak zat, tot grote hilariteit van de kinderen die achter ons stonden. Gelukkig kende ik ze niet, noch veel anderen in de rij, wat ik prima vond. Hoe verder ze hadden moeten reizen, hoe minder ze wisten van mijn vernederingen in het verleden en hoe groter de kans was dat ze me zouden accepteren om wat ik allemaal kon op mijn skateboard.

Na de inschrijving hingen we wat rond om de tijd te doden, keken naar de andere wedstrijden, onder de indruk van het niveau van sommigen. Het maakte me nerveus, ik vroeg me af of ik toch wel genoeg talent had om dezelfde lucht in te mogen ademen als deze jongens, laat staan om samen met ze te mogen skaten. Maar Sinus wilde er niets van weten, die bleef maar in mijn oor tetteren, elke keer als iemand weer een trick had laten zien.

'Dat heb ik jou beter zien doen', riep hij. 'Geen enkele stijl, geen finesse. Jij geeft ze straks het nakijken, let op mijn woorden.'

Ik had geen idee wie deze nieuwe, verbeterde versie van beste vriend was, maar ik wist wel dat ik hem mocht. Het voelde alsof hij naast me zat met een fietspomp en mijn lichaam volpompte met zelfvertrouwen.

Ten slotte kon ik bijna niet wachten om op mijn board te springen en te beginnen, en dus liepen we richting het basketbalveldje in de buurt van de halfpipe, dat door iedereen gebruikt werd als warming-up plek. We worstelden ons door de menigte, langs steeds meer van Sinus' schilderingen, zoveel dat ze een soort behang leken te vormen. Ik voelde me stom gelukkig dat dit allemaal voor mij was, vond het nog altijd moeilijk om mijn ogen ervan af te houden, terwijl we erlangs liepen.

Wat er waarschijnlijk de reden voor was dat mijn onhandigheidsgen het weer overnam en ik keihard tegen iemand op botste die ons tegemoet kwam. Ik wilde me al verontschuldigen, maar de woorden bleven in mijn keel steken toen ik zag om wie het ging. Het bleek de enige persoon die ik hier niet had willen zien, wier aanwezigheid onmiddellijk mijn nieuw hervonden zelfvertrouwen als sneeuw voor de zon deed verdwijnen.

Ik was er geweest.

Het was mijn moeder.

40

'Ik geloof dat wij eens even moeten praten, of niet?' zei ze, haar gezicht onbewogen.

'Ja, mam', antwoordde ik.

Sinus had zich inmiddels verdekt achter mij opgesteld, niet dat ik het hem kwalijk kon nemen.

Ik vroeg me af wat ze precies bedoelde. Op een bepaalde manier konden haar woorden namelijk ook positief uitgelegd worden. Ze was niet helemaal over de rooie gegaan, zoals de vorige keer: er waren geen stemverheffingen of hysterische toestanden geweest, enkel een afkeurende blik die me vertelde dat ze al min of meer verwacht had dat ze me hier aan zou treffen.

Pas toen we aan de rand van de menigte aangekomen waren, zag ik dat pap er ook was, hoewel ook hij niet echt heel boos leek. Eerder, hoe zal ik het zeggen, *bedaard*. Niet iets wat je direct met hem associeerde, behalve dan wanneer hij met een wok in zijn handen stond.

En zelfs toen mam zich venijnig tot hem wendde, gaf hij geen krimp.

'Ik had moeten weten dat er iets gaande was, toen jij het park voorstelde', zei ze, waardoor ik het meteen voor hem op wilde nemen.

'Luister, het spijt me, mam. Het was niet mijn bedoeling om je van streek te maken. Maar ik had gehoopt dat je er niet achter hoefde te komen, dacht dat je nog steeds in het ziekenhuis zou zijn, of zou slapen.' Ze zag er wel uit alsof ze wat slaap kon gebruiken, haar rode ogen vormden het enige beetje kleur in haar gezicht.

'Ik heb wel even geprobeerd om wat te rusten', antwoordde ze, 'maar mijn hoofd zat te vol met... nou ja, je weet wel. En dus stelde je vader voor om een blokje om te gaan. En nu snap ik waarom.'

Ik had geen idee wat er nu zou komen. Ik had mijn vader nooit iets over het Skatefest verteld, dus waarschijnlijk had hij zelf na verloop van tijd uitgevogeld wat ik van plan was. Maar als dat zo was, waarom had hij mam dan mee hiernaartoe gebracht? Hij wist hoeveel het skaten voor me betekende, hij had me nota bene geholpen met trainen, dus waarom zou hij het dan nu alsnog voor me verpesten?

'Ik weet niet wat ik tegen jullie moet zeggen', zei ze, me tranen in haar ogen. 'Wat is dit voor zieke grap? Ik weet niet of jullie dit al heel lang van plan waren of pas na vannacht, maar ik wil het er hier nu niet over hebben, niet waar al je vrienden bij zijn, Charlie. Je mag dan misschien denken dat ik er altijd alleen maar op uit ben om jou te vernederen, maar dat is niet waar. Je weet nu waarom ik altijd zo ongerust ben. Laten we dus alsjeblieft naar huis gaan, dan kunnen we daar verder praten.'

'Mrs. H, alstublieft', klonk een hoog stemmetje van achter mijn rug. De beleefdste Sinusstem die ik ooit gehoord had. 'Ik weet dat ik me er eigenlijk niet mee mag bemoeien, maar u moet echt zien wat Charlie hier straks gaat doen. Hij heeft vreselijk hard geoefend en, hoe moeilijk ik het ook vind om dit te zeggen, hij heeft echt talent.'

'Talent?', riep ze boos. 'Is dat hoe je het noemt? Nou, ik heb hem op dat ding daar gezien' – ze wees naar het skateboard alsof het een enorme drol was – 'en ik zou het niet echt een talent noemen. Meer een doodswens. Jij niet?'

Maar om wat voor reden dan ook, ik had werkelijk geen idee, liet Sinus zich niet afschrikken. In plaats daarvan kwam hij nu zelfs van achter mijn rug vandaan en ging verder.

'Ik vind het echt heel erg van uw zus, Mrs. H.' Ik zag hoe mam even in elkaar kromp en vervolgens woedend werd, toen ze besefte dat haar geheim dus niet alleen bij pap en bij mij uitgekomen was. 'Maar u moet Charlie dit echt laten doen. Na alles wat hij op school meegemaakt heeft, is dit zijn kan…'

'Waag het niet om mij de les te lezen, Linus.' Ze kreeg het voor elkaar om te roepen zonder haar stem te verheffen, wat behoorlijk angstaanjagend was. 'Of om mij te vertellen wat er met Charlie aan de hand is. Dacht je nu echt dat ik niet wist hoe het op school voor hem is?'

Dit liep uit op een duel, een duel waarbij ik me maar één winnaar kon voorstellen, maar het vooruitzicht van een flinke draai om zijn oren deed Sinus blijkbaar niets. Ik zag hoe hij zich al schrap zette voor een volgende verbale aanval, toen een derde, onverwachte stem zich ermee bemoeide.

'Dat is het hem juist, lieverd', zei pap, zijn stem rustig, 'jij *weet niet* hoe het voor Charlie geweest is, niet echt.'

Even keek ze geschokt, dit was ze niet gewend, maar pap liet zich niet uit het veld slaan.

'Ook ik ben geen expert, ook ik heb het allemaal alleen maar van horen zeggen, maar neem van mij aan dat die jongen heel wat te verduren gehad heeft.'

'Hoe bedoel je?'

'Nadat jij hem hier, bij de halfpipe, geconfronteerd had, hebben de andere kinderen het hem, nou ja, niet bepaald gemakkelijk gemaakt.'

'Dat is een understatement', schamperde Sinus, wat hem een boze blik van nu zowel mam *als* pap opleverde.

'Nou ja, ik had misschien inderdaad een beetje anders kunnen reageren', zei ze aarzelend. 'Door hem eerst mee naar huis te nemen, in plaats van de dingen hier ter plekke af te handelen. Wanneer ze jou als gevolg daarvan geplaagd hebben, Charlie, dan zal ik…'

'Geplaagd?' viel pap haar in de rede. 'Plagen komt nog niet in de buurt', en vervolgens kwam hij met een uitgebreid verslag van alle vernederingen. De filmpjes en foto's op school, allemaal toewerkend naar de grote finale, het fiasco met het bubbeltjesplastic. Het was vreemd om het zo te horen: ongemakkelijk, maar niet heel moeilijk. Alsof het over iemand anders ging. Ik wist natuurlijk meteen van wie pap alle details had: van Sinus, wie anders? Maar die haalde schaapachtig zijn schouders op toen ik hem aankeek.

Terwijl ik mijn blik weer op pap richtte, realiseerde ik me hoe goed ik er uiteindelijk toch nog uitgekomen was. Het liet maar weer eens zien hoe belangrijk vandaag was om het een en ander recht te zetten, en hoezeer ik overgeleverd was aan de genade van mijn moeder.

Het liefst had ik mijn handen tegen mijn oren gelegd toen ze begon te praten, ik moest er niet aan denken dat ze me weer naar huis zou sturen.

'Is dit waar, Charlie?' Er klonk nog steeds twijfel in haar stem.

'Ja.'

'Alles? Zelfs dat van dat bubbeltjesplastic?'

Ik knikte voorzichtig, voelde hoe het zweet me over de rug liep, net als toen ik in al die lagen plastic gewikkeld was.

'Waarom heb je me dat nooit verteld? Dan hadden we er wat aan kunnen doen. Dan had ik met je mee naar school kunnen gaan. Hoewel dat natuurlijk altijd nog kan.' Koortsachtig keek ze om zich heen, alsof Mr. Peach elk moment op magische wijze kon verschijnen, skateboard in de hand.

'Maar het gebeurde niet op school, mam. Het gebeurde hier. En de meeste van die kinderen zitten niet eens bij me op school.'

'Dan gaan we naar de politie. Zoiets kunnen ze niet zomaar doen, dat is mishandeling.'

Het kon natuurlijk komen door haar verdriet, of omdat ze in pure paniek was, maar ze had zelf blijkbaar geen idee hoe belachelijk dit klonk. Ik durfde het haar niet recht in haar gezicht te zeggen, maar probeerde het zo voorzichtig mogelijk uit te leggen.

'Maar het enige wat we daarmee zouden bereiken is dat ik opnieuw in de slachtofferrol terechtkom. Het pesten zou er alleen maar weer erger door worden, zo erg, dat ik uiteindelijk mijn bed misschien niet eens meer uit durf te komen.'

Sinus, die blijkbaar zag hoe mijn moed groeide, viel me bij. 'En daarom moet Charlie vandaag ook die halfpipe op, Mrs. H. Twee minuutjes maar, meer heeft hij niet nodig om er een eind aan te maken. Want als ze eenmaal zien wat hij kan, dan zal alles veranderen. Echt alles.'

Mam was even twijfelend als Sinus vastberaden was. 'En dat kun jij garanderen, Linus? Jij kunt mij nu voor honderd procent garanderen dat Charlie, elke keer dat hij iets met dat ding daar doet, weer veilig op zijn voeten terechtkomt?'

'Nee, natuurlijk kan hij dat niet', zei pap.

'In dat geval gaan we nu naar huis en zoeken we een andere manier om dit allemaal op te lossen. Ik kan je dit niet laten doen, Charlie. Het spijt me. Vandaag niet.'

En daar kwamen de tranen weer. Dikker en zwaarder dan de avond ervoor en daarmee was de kous af.

'Maar een andere dag zal er niet komen, of wel?' Ik had geen idee waar pap opeens die ruggengraat vandaan had, maar plotseling was die duidelijk aanwezig. 'Want elke keer als er weer iets dergelijks georganiseerd wordt, zal jouw reactie hetzelfde zijn. Dan vind je wel weer iets anders, een andere reden waarom hij het niet mag doen.'

'Dat is niet waar', zei ze.

'Dat is het wel en dat weet je zelf ook. Neem nou die driewieler, bijvoorbeeld. Zo'n jongen zou de bestellingen moeten rondbrengen op een mountainbike of racefiets. Over twee jaar zelfs op een brommertje!'

Dit was teveel voor mam, een nieuw paniekniveau was bereikt. 'Wat is dat toch met jullie?' huilde ze. 'Snappen jullie dan niet waarom ik er zoveel moeite mee heb? Waarom ik, na alles wat er in het verleden gebeurd is, mijn eigen zoon zo graag wil beschermen?'

Ik zag hoe Sinus ongemakkelijk naar zijn schoenen keek. Zelfs voor iemand die zo nieuwsgierig was als hij, moest het lastig zijn om hiernaar te luisteren.

'Maar we verstikken hem! Wij allebei. Hoe moet het wanneer hij achttien wordt en naar de universiteit gaat? Wat gebeurt er wanneer hij daar aankomt en geen idee heeft hoe hij met situaties om moet gaan? Die jongen moet eigen fouten kunnen maken, zodat hij daarvan kan leren.'

'O, allemaal zo makkelijk gezegd! Maar hij hoeft maar één verkeerde stap te zetten en dat was het dan.'

Pap besloot van tactiek te veranderen en pakte haar liefdevol bij de schouders.

'Wat er met Dora gebeurd is, was verschrikkelijk. Een ramp voor iedereen. Maar het was een *stom* ongeluk. Zelfs een wiskundige zou je vertellen dat de kans, dat zoiets nog een keer gebeurt, uiterst klein is. En al helemaal met onze Charlie. Bovendien heb ik hem bezig gezien op dit ding. En geloof me of niet, je zou wel eens heel trots kunnen zijn op wat hij er allemaal mee kan.'

De tranen stroomden nu over mams gezicht. Met schokkende schouders wist ze met moeite nog wat uit te brengen.

'Daarvoor hoef ik hem niet op een skateboard te zien. Ik wil gewoon dat hij voorzichtig is.'

'En dat is hij ook, of niet soms, jongen? Je draagt toch beschermers en een helm? Hij wierp me een blik toe die schreeuwde: *Zeg me alsjeblieft dat je beschermers en een helm draagt!*

'Ellebogen, polsen, knieën en hoofd. Allemaal hier in mijn tas. Op maat gemaakt zelfs, met extra dikke beschermlaag.'

'Ik zei het je toch', zei pap, opgelucht. 'Niets om je zorgen om te maken, lieverd. Je zult het zien.'

'Nee, dat zal ik niet', antwoordde mam, met een vage glimlach om haar lippen nu. 'Je kunt nog zo hard proberen om me over te halen, maar dat gaat je toch niet lukken.'

Nu wendde ze zich tot mij en met wat het laatste restje energie leek dat ze nog in haar lichaam had kunnen vinden, zei ze: 'Ik zal je niet tegenhouden, Charlie. Wanneer je vindt dat je dit moet doen, prima. Maar ik kan er niet naar kijken. Dat kan ik echt niet.'

En na een omhelzing, waarvan ze duidelijk niet wilde dat er een eind aan zou komen, baande ze zich een weg door de mensenmenigte en liet mij compleet verscheurd achter.

'Wat moet ik nu doen?' vroeg ik pap. 'Echt, wat moet ik nou?'

Zijn antwoord was vastberaden maar meelevend. 'Doe wat je al die tijd al van plan was, jongen. Laat ze een poepie ruiken.'

'Maar mam dan?'

'Laat dat maar aan mij over. Maak jij je daar nu maar niet druk om. Het enige wat jij moet doen, is zorgen dat je op dat board blijft staan. Begrepen?'

En ook hij draaide zich om en vertrok, waardoor ik alleen overbleef met Sinus en meer te bewijzen dan ooit.

41

Hier kwam het allemaal op aan. Het hoogtepunt van de dag, de grootste publiekstrekker – de wedstrijd op de halfpipe.

Twee minuten om zoveel mogelijk tricks te laten zien, met zoveel mogelijk flair, lef en, belangrijker nog, zoveel mogelijk lucht tussen het board en de grond. Heel simpel eigenlijk, maar ik was bang dat de enige trick die ik nu nog beheerste bestond uit er heel hard vandoor gaan naar huis. Misschien had mam wel gelijk? Misschien *kwam* er inderdaad nog wel een keer een andere gelegenheid om dit te doen.

Maar gelukkig weerhield het duiveltje naast me mij ervan dat ik toegaf aan deze gedachten.

'Hé!' riep Sinus. 'Je laat me nu niet in de steek, hoor! Daarvoor zijn we te dichtbij. We kunnen het al ruiken. Kom op, ruik dan...'

Mijn neusgaten verwijdden zich, maar het enige wat ik rook was de geur van goedkope hotdogs.

'Wat?'

'Dit is de laatste keer dat je lucht opsnuift zonder dat je parfum ruikt. Kijk dan om je heen, Charlie. Meisjes! Ze zijn overal.' Hij keek alsof hij zojuist een ongerepte, honderd meter lange muur ontdekt had, dus het was duidelijk wat hij bedoelde. Maar ik zag geen meisjes. Het enige wat ik zag was een zee van mensen, dringend om een plekje met goed zicht op de halfpipe, net zo hopend op valpartijen als op spectaculaire tricks.

Ik probeerde het gevoel van misselijkheid te negeren, liep in gedachten mijn tricks nog eens langs, geen van alle heel erg gecompliceerd, allemaal gebruikmakend van mijn enige echte pluspunten, namelijk lengte en snelheid. Om zowel mijn act tot een goed einde te brengen als bewondering te oogsten zou ik voor flink wat ruimte tussen mezelf en de grond moeten zorgen, zodat mensen hun verrekijkers nodig zouden hebben om mij nog te kunnen zien in de lucht. Ik *kon* het – tijdens het oefenen was elke trick gelukt – maar nog nooit allemaal achter elkaar. Daaruit bestond nu de uitdaging, dat was wat ik voor elkaar *moest* krijgen.

Terwijl het volume van de muziek omhoog gedraaid werd, als teken dat de wedstrijd ging beginnen, voelden we de menigte om ons heen toenemen, naar voren dringen, een teken voor Sinus om me aan mijn capuchon mee richting de halfpipe te trekken.

'We moeten dichterbij zien te komen', riep hij.

'Maar ik ben nummer zevenentwintig. We hebben nog alle tijd.' Om eerlijk te zijn wilde ik helemaal niet zo dichtbij staan, niet voordat ik zelf aan de beurt was. Ik was bang dat ik het in mijn broek zou doen als de andere skaters zo vlak boven mijn hoofd door de lucht zouden vliegen.

'Maar je moet nog iets zien, vriend. De kroon op mijn werk.'

Met zijn neus vooruit baande hij zich een weg naar voren en met een grijns en een wijds armgebaar onthulde hij zijn grootste kunstwerk ooit. Het besloeg de hele halfpipe. Maar dit keer zonder initialen, geen geheimzinnig 'BPC' meer. Dit keer stond het er voluit: *Bubbeltjes Plastic Charlie*. De letters knalden van het oppervlak, opgeblazen, alsof ze elk moment open konden barsten.

'Nu kunnen ze echt niet meer om je heen, of wel?' lachte Sinus. Mijn hoofd, tot dan toe nog vol tegenstrijdige gedachten, vulde zich nu met enkel verbazing. En dat leek besmettelijk. Overal om ons heen, en ook aan de andere kant van de halfpipe, hoorde je camera's klikken. Mensen wezen, lazen de woorden voor en praatten met de mensen naast hen. Schouders werden opgehaald en wenkbrauwen opgetrokken: het zou nog zesentwintig skaters duren voordat het kwartje echt zou vallen.

'Het is geweldig, Sinus.' Heel even wilde ik hem de hand schudden, maar toen besloot ik hem toch te omhelzen.

'Charlie, je bent een aantrekkelijke kerel en ik ben een vrij man, maar we weten allebei dat dit niet zou werken. Jouw moeder zou me nooit accepteren.'

Ik sloeg hem hard op zijn rug en probeerde niet aan mam te denken, waarbij ik geholpen werd door de eerste skater die bovenaan de halfpipe verscheen.

Ik herkende hem, een zesdeklasser die er ook bij geweest was op bubbeltjesplastic-dag, maar die er nu, zo bovenaan de helling, geconfronteerd met een publiek van honderden mensen, plotseling niet meer zo stoer uitzag. Hij zag eruit zoals ik me voelde – niet dat ik medelijden met hem had.

Hij zette af en maakte snel snelheid. En ik wilde heus niet dat hij zo ongelukkig zou vallen als hij deed, maar moest ook zeker niet huilen toen hij hinkend de halfpipe moest verlaten, met een skateboard dat dringend gerepareerd moest worden.

Anderen kwamen en gingen op min of meer dezelfde manier, de een wat succesvoller dan de ander: het publiek ging uit zijn dak wanneer iemand een spectaculaire trick liet zien en hapte collectief naar adem wanneer er weer iemand onderuit ging. Eén arme jongen moest na een gigantische valpartij bijna letterlijk met een spatel van het beton geschraapt worden.

Sinus keek geschokt: er was geen plek op zijn tekening voor bloedspetters, laat staan voor losgeslagen tanden.

Na verloop van tijd begon ik steeds banger te worden. Het liefst was ik zenuwachtig wat heen en weer gaan dribbelen, maar daar was geen ruimte voor. Maar toen skater nummer eenentwintig, Stan, mijn vriend/kwelgeest bovenaan verscheen, besloot ik dat ik het niet meer langer aankon.

'Ik moet me gaan klaarmaken', zei ik tegen Sinus.

'Vergeet niet wat ik je gezegd heb', riep hij me na, in een poging om over de muziek heen te komen.

Ik knikte. Zijn instructies waren duidelijk. Dat mocht ook wel, na het aantal keren dat hij ze herhaald had.

Met tegenzin gingen de mensen voor me aan de kant, hoewel de meesten me niet eens zagen, aangezien ik op borsthoogte langs ze heen glipte. Eén vrouw vroeg of ik mijn moeder kwijt was. Ik besloot wijselijk mijn mond te houden.

In plaats daarvan zette ik koers richting de achterkant van de halfpipe, en met bevende handen leegde ik mijn tas met beschermers, waarvan ik pap beloofd had dat ik ze zou dragen. Al waren het er niet zoveel als mam me had laten dragen die eerste keer dat ik het stalen nijlpaard besteeg.

Ook de finishing touches waarop Sinus gestaan had was ik niet vergeten; ik had er zoveel mogelijk onder mijn hoodie verborgen. En dat was dat. Ik was er klaar voor. Ik leek inmiddels even dik als dat ik klein was.

Het zorgde voor een paar oncomfortabele minuten voordat ze eindelijk mijn nummer omriepen, waardoor ik me even een gerecht van paps menu voelde. In mijn hoofd maalden weer dezelfde, oude onzekerheden rond: wat ik mam hiermee aandeed, waar ik Dora wel niet aan had willen blootstellen. Maar wat ik *mezelf* hier ging aandoen vroeg ik me vreemd genoeg niet één keer af.

Een gebroken arm zou tenslotte wel weer helen, en aan een scheldpartij was ik wel gewend. Bovendien konden de komende paar minuten daaraan een einde maken, zolang ik mezelf maar overeind wist te houden.

Haal diep adem. Kijk ze aan. En zeg ze wie je bent.

Dat was wat Sinus me verteld had. Meer hoefde ik niet te onthouden.

42

Maar eenmaal boven aan de halfpipe bleek dit toch minder makkelijk dan gedacht. Plotseling had ik het gevoel alsof ik wankelend boven op een steile rots stond. Sinus' tekening leek kilometers ver weg; ik moest me inspannen om de woorden te kunnen lezen, terwijl ik toch heel goed wist wat er stond.

En het werd er ook niet bepaald beter op toen mijn blik op de menigte viel en ik me tot mijn grote schrik realiseerde dat er veel meer mensen waren dan ik gedacht had.

Echt scherp kon ik ze niet zien, maar het was duidelijk dat mijn aanblik voor grote hilariteit zorgde.

Sommigen vroegen zich waarschijnlijk af welke moeder het in haar hoofd haalde om haar zes jaar oude zoontje helemaal daar naar boven te laten gaan, terwijl anderen begonnen te joelen, toen ze zich realiseerden naar wie ze daar eigenlijk stonden te kijken.

Er leek een rilling, een soort wrede mengeling van pret en ongeloof, door het publiek te gaan.

Uiteindelijk zorgden de woorden van de omroeper ervoor dat ik weer met beide benen op de grond terechtkwam en me herinnerde wat ik hier ook alweer kwam doen.

'Nummer zevenentwintig staat niet voor het eerst op de halfpipe, dames en heren. Nee, hij maakt hier zijn glorieuze comeback na een korte, onverwachte pauze.'

Opnieuw gejoel vanuit het publiek en opnieuw sloeg de twijfel toe…

'Een hartelijk applaus dus, dames en heren, voor het onderdeurtje, Bubbeltjes Plastic Charlie in hoogsteigen persoon, Charlie Han!'

Het was Sinus' idee geweest om de bijnaam te noemen. De grote onthulling, het moment waarop het publiek het verband zou zien tussen de graffiti en de persoon, waarop bij de kinderen van school, na weken van verborgen boodschappen, eindelijk het kwartje zou vallen en ze me in een ander daglicht zouden gaan zien.

En wat denk je? Hij had gelijk.

Ik zag ze reageren, zag hoe hun vingers eerst naar de halfpipe en vervolgens naar mij wezen, maar dit keer glimlachend in plaats van joelend. Verwachtingsvol keken ze me aan; niet uit sensatiezucht, maar alsof ik plotseling echt de moeite waard was om naar te kijken.

Onwillekeurig zochten mijn ogen naar Dan en Stan en tot mijn grote genoegen zag ik hoe ze voor mijn ogen leken te verschrompelen. Ik glimlachte naar ze, voordat ik mijn hoodie uittrok en het publiek op een blik op mijn kinderlichaampje trakteerde. Maar het kon me niets schelen. Ik voelde of de wikkels van bubbeltjesplastic rond mijn ellenbogen en knieën nog goed zaten en trok mijn T-shirt recht, waardoor iedereen de woorden kon lezen die we erop gezet hadden.

Vliegen voor Dora, stond er, met een aureool als stip boven de 'i'. Het deed er niet toe dat niemand wist wat het betekende, want *ik* wist het. Ik herinnerde me hoe ze vanuit haar rolstoel altijd naar de lucht gekeken had, naar elke vogel die voorbij vloog. En ergens hoopte ik dat ze, op wat voor manier dan ook, nu op dezelfde manier naar beneden zou kijken.

Ik voelde een aantal snikken opwellen in mijn borst, een dreigende aanval van paniek, toen ik haar in een hoekje van het publiek meende te zien, een stralende blik in haar indringend bruine ogen. Het raakte me. Ik knipperde en keek nog een keer en mijn hart begaf het bijna toen ik me realiseerde dat het niet Dora was, maar mam.

Ze was het echt. Ik herkende de paniekerige houding, kon de stress bijna voelen. Pap stond naast haar, arm om haar schouders, alles uitstralend wat zij niet was: een kalme opwinding om wat ik hier ging doen.

Ik staarde langer naar ze dan ik had moeten doen, negeerde de muziek die inmiddels gestart was om mijn twee minuten van glorie in te luiden. Maar ik kon er niets aan doen. Het was niet makkelijk om me na veertien jaar aan haar greep te ontworstelen, zelfs op dit moment niet, zelfs niet nu ze op dertig meter afstand stond. Het publiek werd onrustig – niet dat ze me uitjouwden of zo – maar ik realiseerde me dat ik het risico liep om ze kwijt te raken. Het board voelde zwaar in mijn handen, herinnerde me aan wat ik moest doen, maar ik kon mams ongeruste gezicht maar niet uit mijn hoofd zetten.

Mensen begonnen langzaam in hun handen te klappen, het geluid zwol aan en nu raakte ik echt in paniek. Mijn blik ging weer naar mam, wier gezichtsuitdrukking die van mij weerspiegelde. Maar pap gaf geen krimp. Die glimlachte enkel bemoedigend en zette zijn handen aan zijn mond om vijf woorden te roepen met een volume, waarvan ik niet geweten had dat hij het in zich had. 'Kom op, Charlie. Kom op!'

En dat was het. Meer had ik niet nodig. Met een brul zette ik het board onder mijn voeten en duwde af, voelde de wind toenemen, terwijl de omgeving vervaagde. Maar op het moment dat ik onder aan de helling aangekomen was, wist ik dat mijn balans niet goed was en terwijl de lucht weer in zicht kwam, voelde ik het board van onder mijn voeten verdwijnen en verder richting de wolken schieten, terwijl ik achterover viel.

Ik zette me schrap, had geen idee waar de grond was, maar wist dat die keihard op me wachtte. In een flits meende ik mam te zien, die in slow motion naar me toe kwam rennen om me op te vangen, maar echt bemoedigend was dit niet. Niemand kon zo snel rennen.

De halfpipe verwelkomde me hardhandig, mijn hele lichaam gilde het uit. Ik hoorde hoe mijn eigen schreeuw geëchood werd door het publiek en nam me voor om nooit meer te bewegen. Ik wachtte op het gejoel, maar dat bleef uit. Het leek wel alsof iedereen plotseling verdwenen was. Het enige wat ik nog hoorde was het ronddraaien van vier wieltjes.

Mijn board rolde tegen mijn arm aan, nestelde zich in de kromming van mijn elleboog. En toen hoorde ik die ene stem roepen. Sinus.

'Sta op, Charlie! Sta op!'

En op dat moment, vanuit het niets, voelde ik een energieschok, genoeg om op mijn zij te kunnen rollen. Alles deed pijn, maar niet genoeg om de vonk te doven en voordat ik er erg in had stond ik alweer overeind en strekte ik mijn polsen en knieën. Mijn lichaam protesteerde, maar niet luid genoeg om mijn benen ervan te weerhouden om weer naar boven te klimmen, board in de hand.

Mijn hart bonkte en het bloed ruiste in mijn oren, maar toch kon ik het publiek nu weer horen. Kreten van aanmoediging en ongeloof, steeds meer, steeds luider, totdat hun woorden één grote schreeuw van goedkeuring en aanmoediging vormden die mij opzweepte, waardoor ik bijna naar boven rende.

Ik had ervoor kunnen kiezen om de rand beet te pakken en mezelf omhoog te trekken, maar wist niet of ik daar nog genoeg kracht voor had. En dus besloot ik in plaats daarvan, toen de muur echt verticaal ging, om een sprong te maken, mijn voeten op het board te zetten en mijn handen die denkbeeldige zakken met afhaaleten vast te laten houden, in de hoop dat ik zo mijn balans zou vinden.

En het lukte. De wind rukte aan mijn broekspijpen terwijl ik naar beneden schoot en hoewel ik nog niet genoeg vaart had om te vliegen, wist ik dat ik met één extra zet precies daar zou komen waar ik moest zijn. Ik maakte mezelf zo klein mogelijk en begon aan een nieuwe afdaling, om weer boven aangekomen rechtop te gaan staan, waarbij het board me gehoorzaam volgde.

Ik kan je niet vertellen hoe het voelde – geen bladzijde is groot genoeg om de kick, de opluchting en de opwinding te beschrijven – maar ik wist dat dít mijn moment was. Het enige wat ik nu nog moest doen was het niet verknallen.

Steeds sneller ging ik en mijn zelfvertrouwen groeide. Ik concentreerde me zo goed mogelijk, dacht aan wat ik van plan was, durfde mijn lichaam bij elke draai hoger de lucht in te gooien.

Ik begon er lol in te krijgen, pakte het board beet om te draaien wanneer ik omkeerde, balanceerde op één been, trapte het board de lucht in zonder ook maar één keer de controle te verliezen.

Ik wist dat ik steeds meer lucht tussen het board en mezelf kreeg, omdat het publiek me brullend stond aan te moedigen, handen in de lucht, wanneer ze niet aan het applaudisseren waren.

Iedereen stond achter me, ik voelde het, zonder dat ik hoefde te kijken.

Maar op dat ultieme moment van acceptatie besefte ik ook dat het, ironisch genoeg, niets uitmaakte wat zij ervan vonden. Ik wist wat ik deed en wist dat ik het goed deed. Wanneer zij ervan wilden meegenieten of me na afloop een schouderklopje wilden geven, prima, maar ik had hun gelukwensen niet nodig om te weten wat ik bereikt had.

Er waren maar een paar mensen wier oordeel ik wel belangrijk vond en hoewel mijn tijd op de halfpipe maar kort was, kon ik toch bijna niet wachten om te horen wat zij ervan vonden.

Dus na nog één laatste draai met mijn armen wijd uitgestrekt bracht ik mezelf via de rand van het plateau weer in veiligheid. Het publiek ging uit zijn dak en ik grijnsde van oor tot oor. En mijn glimlach werd nog breder toen ik Sinus zag, diep in gesprek met een meisje naast hem. Met één hand wees hij naar de half-pipe en met de ander naar een door hem beschilderde muur. Het was moeilijk te zeggen of ze onder de indruk was. Het zou nog lang duren voordat ik meisjes net zo goed door zou hebben als het skaten. En ik verwachtte ook niet dat Sinus me op dat gebied veel zou kunnen leren, dus liet ik hem maar.

In plaats daarvan zocht ik in de mensenmassa naar mijn ouders.

En uiteindelijk vond ik ze: paps gezicht was tussen alle klappende handen amper zichtbaar, maar ik kon nog net zien hoe hij met een grote glimlach stond te juichen.

Waar ik echter pas echt benieuwd naar was, was mams reactie. En hoewel haar handen niet klapten en haar mond gesloten was, wist ik dat ik eindelijk de indruk gemaakt had waar ik tot dan toe alleen maar van had kunnen dromen. Want daar stond ze, armen boven haar hoofd, vingers in verwondering uitgestrekt richting de wolken, terwijl tranen van duidelijk iets anders dan verdriet langzaam over haar wangen richting haar glimlachende mond gleden.

Meer had ik niet nodig.

Waarschijnlijk had ik nog maar enkele seconden over op de half-pipe, maar geen haar op mijn hoofd die er nu over dacht om naar beneden te komen. Nog niet.

Ik had nog niet genoeg gedaan om te winnen: wist ook dat ik dat toch nooit voor elkaar zou krijgen, al zou ik hier nog een uur blijven.

Maar ik moest het nog één keer doen.

Dus nadat ik mijn armen nog een keer triomfantelijk in de lucht gestoken en het bubbeltjesplastic van mijn armen en knieën getrokken had, dook ik nog één keer het luchtledige in, lachend toen de muur voor me opdoemde en vervolgens weer verdween. Nog nooit had ik zo hoog gevlogen, maar dat deed er niet toe. Want heel even, daar helemaal bovenaan, dacht ik aan Dora en op dat moment, ik zweer het je, was zij het die mij daar hield, voordat ze me zachtjes weer liet vallen, terug naar de aarde.

EINDE

Nawoord

Charlie Han woonde niet altijd boven een afhaalchinees. Sterker nog, Charlie was heel lang helemaal geen Charlie, maar Bud Cotton, en zo zag hij eruit:

Ik heb dit niet zelf getekend maar mijn vriend Boz, meer dan tien jaar geleden. Lang hebben we gewerkt aan *Cotton Bud*, veel ontwerpen en veel schetsen werden er gemaakt, maar nooit lukte het ons om hem of onszelf geprint te krijgen.

Toch wil ik Boz hier bedanken, omdat hij de afgelopen twintig jaar zo'n goede en behulpzame vriend geweest is. Zonder zijn hulp zou ik waarschijnlijk helemaal nooit zijn gaan schrijven.

Dank ook aan Jodie Hodges, met wie ik zo fijn kan werken (en roddelen), en aan Caff en Mark Ward, wier kennis van het skaten van onschatbare waarde was.

Heel veel dank ook aan het team van Puffin, in het bijzonder Ben Horslen, die de dubieuze eer te beurt viel om mijn redacteur te zijn (en toch nog kon blijven lachen), Katy Finch voor opnieuw een geweldige omslag en Sam Mackintosh, de beste copyeditor die er bestaat.

Enorme dank ook aan de briljante boekverkopers Crow, The Dublin Davids (O'Callaghan en Maybury), Matthew Williams, Marcus Sedgwick en in het bijzonder Phil Carroll, die mij enorm gesteund heeft het afgelopen jaar – je bent een geweldige vriend.

Ten slotte wil ik dan nog mijn ouders in Hull bedanken, die zelfs

mijn meest idiote ideeën nog ondersteunen, mijn vrienden in de Palace, die me altijd weer aan het lachen kunnen maken, en vooral natuurlijk Laura, Albie, Elsie en Stan, omdat ze het met me uithouden en me de mogelijkheid geven om te dromen.
Ik ben een gelukkig, gelukkig man.

Crystal Palace, Januari 2014